D0714878

Graphisme : Dorothy-Shoes.

© ROUERGUE 2010

Parc Saint-Joseph - BP 3522 1035 - Rodez CEDEX 9
tél. 05 65 77 73 70 - fax 05 65 77 73 71
info@lerouergue.com - www.lerouergue.com

La première fois, on pardonne

Du même auteur au Rouergue :

Absentes - 1999, roman La brune.
Avec tes mains - 2009, roman La brune.
Au galop sur les vagues - 2010, roman dacOdac.

Né en 1952, **Ahmed Kalouaz** vit dans le Gard.
Il est l'auteur d'une trentaine de livres, pour les enfants et les adultes.

L'auteur a bénéficié, pour la rédaction de cet ouvrage,
du soutien du Centre national du livre.

Ahmed Kalouaz

La première fois, on pardonne

AU ROUERGUE

À celles qui ont pardonné.

Des femmes crient dans la poussière. Car chanter,
comment chanterait-on sous ces pierres friables ?

Philippe Jaccottet

1

— Élodie, s'il te plaît, tu veux bien baisser un peu ta musique !

Depuis trois semaines, c'est le refrain favori de ma grand-mère, la musique. Trop forte pour ses vieilles oreilles. En fait, je crois que je monte le son pour ne pas entendre la voix de maman, en regardant les albums photo. Ma mère tirait tout en double.

— Le bonheur, ça se partage.

C'est ce qu'elle aimait dire en offrant une photo de nous aux gens de la famille. Elle répétait chaque fois cette phrase, « Le bonheur ça se partage ». Dans la chambre, assise sur le parquet, calée contre le lit, j'ouvre notre vie, à la poursuite du bonheur dont elle parlait tout le temps. Comment ça a commencé, la fin ? Une phrase au mauvais moment, un cri plus haut que l'autre ?

— Tu lui as fait quelque chose à papa ?

Moi, je demandais ça innocemment. J'avais cinq ans, un âge où je pensais comme tout le monde que les jours qui filaient ne pouvaient servir qu'à jouer.

– Tu lui as fait quelque chose à papa ?

– Non. Rien.

– Tu es tombée ?

– Non.

– Tu t'es cognée ?

– Non.

Il n'y avait pas d'escaliers à la maison. On continuait à aller se promener au bord de la rivière tous les dimanches ou presque. Parfois, elle était fatiguée. Encore une chute, une mauvaise rencontre. Je me disais qu'elle n'avait pas de chance. Alors, papa m'emmenait en riant, avec son air habituel, et nous partions sans elle. Je ne lui posais jamais de question, je ne demandais rien sur maman, et lui ne disait rien non plus. C'est moi qui cherchais dans ma tête, essayant de trouver des réponses. Et puis une fois de retour à la maison, je m'installais à la table pour reprendre les dessins que j'avais commencés avant la promenade. Des tigres dévorant des antilopes, des princesses avec des robes aux belles couleurs. Je les offrais à l'un ou à l'autre, ils m'embrassaient et je passais à autre chose. Le lundi matin, maman m'accompagnait à la maternelle, nous marchions le long de la grille de l'école des grands. Elle saluait les gens que nous croisions d'un beau sourire, mais ne s'attardait jamais. Elle portait parfois un chapeau, des lunettes de soleil, même si le jour était gris. « Maman se déguise. » Je le croyais. Quelquefois, une poignée de cheveux sur la banquette du salon. Pas de mots là-dessus.

Aujourd'hui à quinze ans, je cherche ces mots dans les albums, au hasard, pour mettre de l'ordre dans mes souvenirs, grâce aux photos bien classées de grand-mère. Souvent, ce sont des moments de vacances, comme dans toutes les familles. Ici, c'est à la neige, dans le Pilat, tout le monde est couvert. Pas de bleus encore, sur les yeux de maman, pas de bosses. Un beau sourire, les bâtons de ski en main, se cachant derrière un sapin, montrant au loin une chaîne de montagnes au-dessus des nuages. Puis le brouillard monte de la vallée, nous enveloppe. Nous nous asseyons sur le socle d'une croix plantée sur la colline. Papa ouvre un sac à dos, en sort une bouteille, un paquet de biscuits. Il est content, tend une main vers sa femme, ma sœur tire la langue, fait des grimaces. Ce jour-là, je crois que nous sommes revenus tranquillement par le chemin qui domine le village, passant devant un lavoir pétri de glace.

La nuit d'après, j'ai rêvé d'un renard que nous avions croisé le soir dans les phares de la voiture, en allant chercher du lait à la ferme qui bordait la forêt. Dans mon rêve, le renard m'attendait derrière un buisson, me précédait, avant de disparaître encore. Il bondissait, me provoquait du regard, en même temps, j'entendais de l'eau s'écouler d'un robinet, sous la porte, des lumières qui s'allumaient, s'éteignaient. Comment savoir, à cet âge si c'est douloureux, si c'est abominable ?

Heurter des coins de meuble, ça m'arrivait aussi, quand ma démarche n'était pas sûre, quand je courais pieds nus et mouillés en sortant de la salle de bains. Un soir, je me suis cognée le front en tombant du lit tête en avant. Ils m'ont conduite à l'hôpital. Je me souviens que le docteur avait une chemise orange. Il a sans doute pensé que ce n'était pas grave, car nous sommes rentrés à la maison en riant. Eux, soulagés, moi, heureuse de voir défiler les lampadaires des rues, derrière la vitre de la voiture.

Plus tard, je ne rêvais plus du renard, mais d'un loup, d'une bête plus immonde encore, qui me tenait éveillée des nuits entières. Mais en fait, ça s'est passé comment ? Un amoncellement d'oublis, quelque chose que j'inventais le matin venu ? Je repousse ces images qui me hantent, mais c'est pourtant ma sœur que je vois accrochée aux jambes de maman.

— Papa est méchant.

C'est ce qu'elle répète dans la pénombre.

— Papa est méchant.

Le lendemain, maman affirme le contraire en me caressant le visage. Elle dit cela d'un ton détaché, presque badin, se maquille plus longtemps, m'habille pour l'école comme si de rien n'était. Dans la classe, assise à ma table, j'en profite parfois pour rêver, aller ailleurs, de peur de demander à mes camarades si elles font les mêmes cauchemars que moi, si elles entendent les mêmes bruits pendant la nuit.

Mais leurs sourires m'en empêchent, et puis surtout ce manque de mots, cette peur à l'idée que personne ne va vous croire.

— Tu devrais aller prendre l'air, ça te ferait du bien !

La voix de grand-mère est montée à l'étage. Pour lui faire plaisir, j'abandonne les photos, le défilé du passé. Dehors, le ciel est à nouveau bleu.

2

L'après-midi, profitant du beau temps, nous sommes parties toutes deux avec grand-mère. C'est une grande marcheuse. Elle s'est installée à la montagne pour cela, passer les cols, faire des boucles sur tous les sentiers en partant de chez elle. Le village est tranquille, il y passe peu de monde en hiver. Ici, c'est souvent calme et beau, mais quand le vent cire, comme ils disent ici, et qu'il forme des congères sur la route de Bourg, impossible de s'aventurer au-delà de la place devant l'école. Cette école où j'aurais voulu tant de fois aller me cacher le dimanche soir, et y passer le reste de la semaine.

Car depuis longtemps, nous venons ici passer le samedi ou le dimanche, prendre l'air une journée ou deux avec maman et ma sœur. Papa nous accompagne rarement. Il dit que ce n'est pas son territoire, qu'il n'est pas fait pour la campagne, les chemins boueux. Nous sommes seules, et souvent nous avons longé le mur de la cour de récréation, sous la neige ou au printemps. Avant de prendre le chemin qui monte, nous passons devant le tilleul qui donne tout l'été une belle ombre sur le lavoir. Ensuite, c'est selon l'envie et le temps, nous traversons ce qu'il reste de la forêt abattue par la tempête, puis ravagée par les flammes d'un grand incendie. Les taillis ont repoussé. Tout repousse, se relève, même lorsque maman se roule en boule pour éviter les claques, les rafales, quand pour ne plus subir les coups, elle se recroqueville pour se mettre à l'abri entre deux fauteuils, ou dans l'angle d'un mur.

– Tu vois, c'est ici que ta mère a appris à marcher.

Je ne réponds rien, encore absorbée par mes souvenirs nocturnes.

– Ta sœur aussi a beaucoup marché sur ce chemin. Au retour, je la portais sur mon dos quand elle était trop fatiguée.

– Et moi aussi, j'ai marché ici ?

– Oh oui, il fallait presque t'attacher pour te garder à portée de regard.

Chaque haie, chaque détour de chemin de ces promenades, évoque en moi un moment précis, nos cris sous les arbres, la main de maman, l'odeur de l'herbe fraîchement coupée. Les souvenirs, selon d'où ils viennent, peuvent vous griffer le cœur et le visage, ou vous donner envie de vous allonger sur un tertre, un monticule à contempler le ciel. Ici, à la montagne, c'étaient toujours les regards vers le ciel qui l'emportaient, j'essayais de laisser loin derrière moi les appels de la nuit, les hurlements parfois. Ici, je ne me posais jamais la question de savoir lequel des deux aimer. Elle ou lui. Ce choix impossible à faire, comme lorsque je me mettais entre eux, au milieu d'une scène violente.

À la lisière des arbres encore debout, débouchant de La Versanne, surgit un planeur. M'accrocher à ses ailes, voler aussi au-dessus des chemins qui mènent vers les cimes bordées d'arbustes recroquevillés, à peine sortis de leurs draps de givre. Mais le rêve du planeur ne m'emporte pas loin et disparaît derrière le mont Pilat.

De retour à la maison, je retrouve ma chambre, les albums où sont couchées nos vies. Ici, une fête foraine, où ils se tiennent tous deux par la main devant un manège. « Tournez, tournez, petits bolides ! »

J'entends même la voix du bonimenteur annoncer le grand frisson. Maman porte une robe de couleur bleue, lui un pantalon sombre et une chemise blanche. Quel âge ont-ils ? Je ne sais pas, ce devait être le début du rêve, le début de notre vie à venir.

Sur une autre, c'est lui qui tire à la carabine, sans doute pour montrer son adresse, ou par gentillesse, pour lui offrir une babiole qui donne le sourire. Maman sourit facilement.

Je les imagine courant l'un derrière l'autre, elle une immense poupée dans les bras, lui heureux comme un gamin dans une cour de récréation. Pour me convaincre de ce bonheur partagé, je glisse vers d'autres clichés de la même époque. Sur certaines photos, je regarde son poing, celui qui cogne, puis cette main qui harponne la tignasse ou le bras. Dans mon esprit, les scènes semblaient naître uniquement la nuit, au milieu de la nuit. Lorsque le jour arrivait, la vie semblait normale, avec un bol de lait sur la table, un peu de musique en fond sonore. Papa était déjà parti, maman se maquillait.

Bien sûr, certaines fois, il m'arrivait de l'attendre le soir à l'école, quand elle était en retard, me demandant si elle viendrait, ou ce qui lui était arrivé. À cette heure, il ne lui arrivait rien, elle souriait encore, même s'il y avait du rouge sur ses joues, des cernes sous ses yeux. Soulagée, je lui prenais la main, sans un mot en l'entraînant dans la rue. Dans ces moments-là, elle ne parlait pas beaucoup, se contentant de me balancer le bras en chantonnant, de me soulever tous les trois ou quatre pas. Cela me faisait rire, et nous retrouvions ma sœur, à l'école des grands. Peut-être soucieuse, mais je ne le savais pas. Nous ne parlions pas de cela. Étrangement, une fois les crises passées, nous retournions dans notre lit ou à nos affaires dans ce silence que nous ne savions pas briser. Sans doute nous sentions-nous un peu coupables.

Chacune dans son coin, nous retrouvions nos jeux, notre sommeil agité, à l'écoute du moindre bruit suspect. Pourtant, je me souviens lui avoir dit, dans mon langage d'enfant, des mots qu'elle faisait mine de ne pas comprendre. Des mots qu'elle avait peut-être prononcés bien avant moi.

– Élodie ! Tu descends manger !

Grand-mère fonctionne avec des horaires de militaire. L'heure, c'est l'heure. Rapidement, je range mes bribes de mémoire dans un tiroir, m'arrange un peu les cheveux et descend l'escalier, un beau sourire en bandoulière.

3

Je les retrouve tous deux alors qu'ils viennent de quitter la fête foraine et ses odeurs de sucreries, de frites. Il va l'emporter sur un scooter ou dans une vieille voiture aux portières défoncées. En tout cas, il l'emporte, fend la foule pour l'emmener au loin dans son refuge ou au bord d'une route, à la belle étoile. À la belle étoile, sous des arbres près du lac des Causses. Elle m'en a parlé un peu, c'est là-bas qu'elle l'avait rencontré au club d'aviron. Elle faisait la saison d'été, s'occupait du camping, de la buvette, de mille choses encore sans compter les heures. Elle rentrait tard le soir, chez une tante qui habitait à Chasteaux, le village à côté. Je connais un peu le coin, ils nous y ont emmenées quelques fois lorsque j'étais vraiment petite. Mais je me souviens surtout d'une visite à la vallée des singes à Rocamadour. Peut-être que mes parents voulaient revivre un bon moment, en retrouvant le lac, se fouetter le visage de beaux souvenirs en danger de mort. Nous, on s'est occupées des petits singes accrochés à leur mère, tendant la main pour saisir un peu de maïs grillé. La tante avait préparé une belle tarte aux abricots. « Du verger, disait-elle, ils sont du verger ! » Nous avons remercié avant de reprendre la route vers la Bretagne. C'est la région qu'ils préféraient. Je ne savais pas s'ils y avaient passé du temps avant notre naissance et s'il s'agissait aussi d'un lieu où leur amour du début ressemblait encore à quelque chose, avant les bleus, les soupirs, les regards de travers.

À l'époque, nous campions. Tous dans la même tente, ma sœur et moi d'un côté, eux de l'autre. Un voile en tissu séparait ce qu'ils appelaient les chambres. J'aimais bien ces nuits-là, avec le vent dans les branches au-dessus de nous, ou les matins lorsque la pluie martelait la toile. Pour montrer notre minois, nous attendions que cela cesse, accroupies toutes les deux comme des Indiens. Sous l'auvent, maman préparait le petit-déjeuner que nous prenions debout, impatientes d'aller glisser sur le toboggan mouillé. Papa allait et venait sous la pluie, torse nu en claquettes. S'il nous prenait l'idée de l'imiter, il nous chassait par des cris, en s'ébrouant comme un animal. Une fois revenu sous la tente, il redevenait pour maman prince charmant, l'embrassait dans le cou, la soulevait du sol.

Elle riait à rendre la terre entière folle de bonheur. Nous tentions d'en attraper un bout en nous collant à eux.

– Allez, habillez-vous, les filles, on va en ville !

– Quelle ville ? demandait ma sœur.

– On va aller à Concarneau, c'est la fête pendant toute la semaine, répondait papa.

– On va danser, alors ?

À l'idée d'aller danser en ville, nous nous préparions très vite, parfois sans même terminer notre petit-déjeuner.

Est-ce que déjà à l'époque, il savait mentir ? Sourire alors qu'il venait en douce de tordre le bras de maman ? Cela ne se voit pas, et nous étions à mille lieues de cette pensée. Nous montions dans la voiture avant qu'ils ne soient eux-mêmes prêts. Arrivés en ville, nous faisions le tour des remparts, puis nous allions sur le port nous mêler à la foule bruyante. Des cornemuses et des bombardes sillonnaient les rues, des danseuses de dentelle vêtues sautillaient de place en place, accompagnées par des badauds gobant des barquettes de frites.

Lorsque nous entrions dans un café, papa se précipitait sur le piano quand il y en avait un. C'était son métier, accordeur de pianos. Il allait de maison en salle de spectacle traquer et affronter les fausses notes. Il était capable de jouer des heures entières, pour peu que le patron soit gentil et que les clients y trouvent leur compte. Ce jour-là, la musique était bonne, les regards de maman sur les mains de papa aussi. Ces doigts qui dansaient hier sur le clavier, aujourd'hui savaient aussi tordre et arracher des cris, de la douleur, pour un rien.

Ou alors ce fut une autre époque, loin de Concarneau, de nos petits matins humides des bords de l'océan. Là-bas, les fêtes succédaient aux fêtes. Celle des filets bleus, des mouettes, des chants de marins. Chaque fin de journée nous voyait déambuler dans des ruelles aux maisons parées de bois. Quimper une fois, le petit port de Lesconil, les interminables langues de sable de Plovan. Nous nous échappions peut-être vers ces landes et ces dunes, pour oublier un peu, chacun à sa façon, qu'en ces instants une parenthèse s'ouvrait. Maman happait le vent, écartant les bras comme pour s'envoler, elle souriait à chaque mot que nous lui proposions. Elle se penchait vers nous, faisant mine de vouloir nous prendre dans ses bras, avant de s'écarter et de partir en courant.

Papa courait aussi, tentait d'affronter les vagues froides et déchaînées. La violence des rouleaux contre son corps, plus visible que l'autre, celle qui n'existe pas, dont on ne parle jamais.

— Venez, venez, elle est bonne, criait-il alors que nous étions étourdies par le bruit.

— Tu es fou, disait ma mère, c'est trop dangereux.

Il faisait semblant de l'entraîner vers l'écume. Elle se débattait à peine, mais l'image me choquait. Je croyais voir une autre scène avec des mots que couvrait le vacarme de l'océan. Ce ne pouvait être les mêmes et pourtant je n'arrivais pas à me faire à cette idée de le voir l'emmener de force.

– Tu es fou, répétait-elle, tu es fou ! C'est trop dangereux !

– Papa, tu es méchant !

Ma voix par-dessus le claquement des vagues, le sifflement du vent, comme sortie de la nuit. Ni l'un ni l'autre n'entendaient dans ce vacarme. C'est moi qui portais la cicatrice.

4

Je suis chez grand-mère depuis le début du mois de juillet, comme presque tous les ans. Beaucoup de journées d'été se sont passées dans ce petit village, entre la maison et la ferme des voisins. Toute petite, je jouais sur le mur qui bordait la route, à la dînette, à la barrière d'autoroute. Lorsqu'une voiture ou un tracteur passaient, je brandissais un bout de papier en criant.

– Allez-y ! Merci et au revoir !

Personne ne s'apercevait de mon manège. De temps en temps, ma sœur me faisait un signe par la fenêtre de sa chambre. Elle y passait des heures, dévorant des étagères de livres, remplissant des cahiers qu'elle cachait je ne sais où, dans la grange, au grenier, sous terre, dans un puits. J'ai souvent cherché à savoir, mais impossible de tomber dessus.

– C'est secret !

Oui, c'était son secret, comme j'avais les miens. Lorsque j'ai appris à écrire, je me suis mise aussi à aligner des mots, mais personne ne me posait de questions. Mes phrases n'étaient que des enfantillages, des petits jeux sans importance. Tout le monde devait penser ça, alors j'écrivais ce qui me passait par la tête. À maman non plus, personne ne posait de questions. Pour savoir pourquoi son poignet était bleu ou la faisait souffrir, pour savoir pourquoi certains matins, le maquillage ne suffisait pas. À qui pouvait-elle écrire cela ? Dire ces choses simples et nécessaires. Rien que de lever les yeux au ciel, ça le mettait en colère. Maman levait souvent les yeux au ciel à la moindre occasion, la moindre contrariété, la moindre bêtise venant de nous. Papa ne supportait pas lorsque c'était pour lui.

– Arrête avec ce regard !

Elle arrêtait, je crois. Devant nous, les choses n'allaient pas plus loin. Souvent à cet âge-là, innocemment, je répétais après lui.

– Arrête avec ce regard !

Cela faisait rire ma sœur, maman aussi. Mais comment distinguer ce qui s'est produit lorsque j'avais cinq ou six ans, de ce que j'ai vu tant de fois, plus tard ?

– Arrête avec ce regard !

Cette phrase sèche, je l'ai entendue, c'est sûr, et même écrite dans un cahier de brouillon. C'est presque avec ça que j'ai appris à écrire. Mais même en écrivant, je ne pouvais y mettre le ton, la voix qui se voulait pleine d'autorité, de supériorité.

– Arrête avec ce regard !

Comme il aurait dit :

– C'est moi le maître ici.

En plein jour devant nous, il n'osait pas aller plus loin, par amour pour nous, ou simplement gêné d'avoir des témoins. La nuit, ce n'était pas pareil, c'est nous qui le surprenions, à peine éveillées, incrédules. Moi, j'étais vite de retour au pays du sommeil, à la poursuite du renard. Ma sœur se glissait aussi vers sa chambre, les cinq années qui nous séparaient ne nous permettaient pas d'échanger, de nous consoler l'une et l'autre. J'en étais encore aux mots d'enfant, alors qu'elle faisait déjà mille choses que j'enviais. Elle montait à cheval, jouait du piano, pendant que je me contentais de l'imiter, chevauchant une vieille peluche ou tapant avec une baguette sur un petit xylophone. De nos éveils en sursaut, au milieu de la nuit, elle ne parlait pas. Je ne disais rien non plus de mon renard visiteur.

Une fois de plus, c'est grand-mère qui interrompt ce tête-à-tête avec mes souvenirs.
– Élodie, tu viens avec moi, je dois descendre à Bourg ?
– Tu en auras pour longtemps ?
– Comme d'habitude, le temps de deux ou trois courses.
– On prendra de la Tropézienne, mamie ?
– Tu es trop gourmande, on verra.

Ainsi, nous nous retrouvions toutes deux dans la voiture, parfois pour de grandes courses ou simplement pour une promenade. Grand-mère aimait bien m'emmener jusqu'à Saint-Étienne, par le col de la République. Sa vie était partout ici. Son père avait longtemps vécu là, à l'époque où la mine fonctionnait encore. C'est à sa retraite qu'il avait acheté la maison de Burdignes, pour s'aérer et se retrouver au soleil, après les années de fond, dans la poussière du charbon. Il nous arrivait d'ailleurs de visiter le musée de la mine, et à chaque fois grand-mère était émue de s'approcher de ce lieu auquel son père avait donné trente ans de sa vie.

Bientôt, plus personne ne se souviendra de ça.

Moi, j'avais l'impression de retrouver maman enfant, avec les frayeurs et les craintes d'accidents que connaissaient toutes les familles de mineurs. Elle nous racontait, de l'émotion dans la voix, les jours où la sirène lançait son hurlement lugubre. Les femmes lâchaient leur ouvrage, et sortaient sur le pas de la porte, à la recherche de nouvelles auprès des voisines, ou simplement pour éloigner la peur en bavardages d'apparence futile. C'était bien sûr un autre monde, où souvent on ne parlait jamais de soi. Maman en a gardé cette habitude. On se donne l'air léger, on sourit, on blague de rien et de tout. Mais on préserve ce qui ne peut être dit.

Pendant que l'auto amorce les derniers virages de la descente du col, je regarde sur l'autre versant le vent courber les grands sapins. Par la vitre à peine baissée, entre comme une plainte, un chant profond qui m'emporte un instant.

5

Après les courses, nous sommes remontées directement à Burdignes. À peine arrivées, Jany, la fille de la ferme voisine, est venue me proposer d'aller faire un tour à vélo. Les vacances, pour elle, c'est un peu deux mois de désert. Peu de choses à faire dans le village. Sans le collège, sans ses amies, elle s'ennuie du matin au soir, même si elle aide un peu ses parents pour la vente du fromage deux matins par semaine au marché d'Annonay. Heureusement pour elle, et pour moi, elle adore les virées à vélo et, malgré son air chétif, elle est capable de grimper là où bien d'autres mettent pied à terre. Jany a une autre particularité, celle de connaître une quantité impressionnante de gros mots. Je crois qu'elle tient ce curieux don d'un oncle que sa famille n'aime pas trop voir rôder dans le village. Il traîne derrière lui une sale réputation. Buveur, bon à rien et même pire encore, disent les gens.

Moi, il y a des insultes et des gros mots que je ne connaissais pas, ou dont j'ignorais le sens, et que je répétais parfois à l'improviste lorsque j'étais plus jeune. Ce pouvait être à table, ou pendant une promenade, quand ce n'était pas dans un magasin à la caisse, dans la file d'attente, devant des adultes souriant d'un air gêné.

En attendant l'heure de la promenade avec Jany, je me suis replongée dans les albums que grand-mère possédait. J'ai huit ans sur ces photos. C'est encore l'océan en arrière-plan, une côte déchiquetée de roches sombres. Huit ans. Pour la première fois, mes parents avaient loué une maison de vacances. Papa ne supportait plus le camping et la promiscuité.

C'était une maison de bord de mer, avec de la vue jusqu'au bout du monde. Le matin, lorsque je me levais tôt, je passais des heures à regarder les lapins jouer sur les talus des dunes. La vue était belle, mais la nuit, je n'entendais rien, leur chambre était à l'opposé de la mienne. Je ne savais pas ce qu'il s'y passait, et je me contentais d'imaginer, sans saisir le sens de ces paroles qui ne m'étaient pas destinées. Mais d'avoir entendu ou non ne changeait rien, il fallait se relever chaque fois, après une telle blessure. Lorsque les premiers bruissements me tiraient de mon sommeil, je me disais : « Ils parlent. » Mais le ton était trop haut, on ne savait pas où ça allait s'arrêter, si ça devait s'arrêter. Puis un cri, un bruit sourd. Mon père faisait en quelques minutes trembler la maison de sons discordants, de fausses notes. Maman, je ne sais comment le dire, savait rester digne, semblait s'en remettre vite, sauf pour les griffures, les bleus qui ne pouvaient s'effacer d'un trait de maquillage. En restant digne, elle nous protégeait aussi. Même si nous nous sentions coupables, ma sœur et moi, d'être la cause de ce cataclysme.

À l'océan, cette année-là, je n'ai pas entendu grand-chose, ou peut-être que la mer si proche m'emportait dans ses roulements, ses coups de boutoir contre les rochers. Je ne me souviens que des bonnes choses. Le feu d'artifice, assise sur la dune, les lumières s'élevant dans le ciel avant de redescendre et de venir mourir dans l'eau. Chaque explosion résonnait avec une puissance incroyable. Jamais je ne m'étais trouvée au cœur d'un pareil vacarme. À chaque apparition d'une nouvelle flèche lumineuse, les gens disséminés sur la plage ou à l'abri du vent derrière la maison des douaniers, poussaient des acclamations de joie. Lorsque la clameur retombait, chacun attendait le départ de la fusée suivante.

Oui, de mes huit ans à Kerlouan, je ne me souviens que de cela et de quelques promenades nocturnes à marée basse. Mais je sais aussi que même les beaux souvenirs se lézardent et se perdent. En retournant une photo égarée dans une mauvaise page, je distingue un mot que l'on a essayé d'effacer. Il devait y en avoir plusieurs à l'origine, mais un ongle ou une pointe métallique en ont eu raison. Le seul encore presque lisible ressemble à *miel*. Maman et papa sont assis à une table de restaurant sur une terrasse. On ne distingue pas vraiment ce qui se passe autour, ils sont souriants. Comme s'ils avaient demandé à un passant de les photographier. Ils sont jeunes. *Miel* peut vouloir dire *lune de miel*. C'est grand-mère qui aurait écrit ça, comme tout ce qu'il y a dans l'album. Je l'imagine bien capable, de rage, d'avoir voulu plus tard faire disparaître ces traces lointaines. Mais elle a gardé les photos, alors comment savoir si ce que je pense est vrai ? Je le lui demanderai. Peut-être a-t-elle appris que déjà dans ce premier voyage d'amoureux, sa fille commençait son calvaire. Elle se souvient sans doute qu'au retour, elle a trouvé maman dans un drôle d'état, qu'elle lui a posé des questions. Et que pour seule réponse, elle a reçu un beau sourire. Elle essayait de tromper son monde, d'amoindrir la portée des coups, des vociférations. Elle a dit qu'il n'y avait pas de problème, qu'il l'aimait, et elle autant, qu'elle ne s'était pas trompée avec ce garçon-là. Même si peut-être elle avait déjà entendu ces phrases qui laminent.

– Espèce de sale… Ferme ta gueule, c'est moi qui parle !

Maman ferme alors les yeux, ses mains sur son visage, reprenant son souffle à l'angle d'une pièce. Et l'autre continue de hurler, de hausser la voix.

— Tu vas apprendre qui commande ici ! Tu vas l'apprendre !

Je ne sais pas si elle a appris, si on apprend à recevoir des coups ou des insultes, mais quelqu'un a gratté une phrase qui se terminait par le mot *miel*.

Jany m'appelle, assise sur le muret devant le portail. Je ferme le classeur, et en trente secondes, j'essaye de retrouver la vie. De faire semblant, comme maman.

6

Jany et moi sommes parties sur nos vélos, vers la tour de Montchal, en traversant le village, devant l'école silencieuse. La route est raide au tout début, après on s'habitue. Une fois arrivées sur le premier plateau, nous avons poussé jusqu'à la Baignoire des Gaulois. C'est un ensemble de rochers gris en forme de cuvette. Nous nous sommes allongées là quelques minutes, percevant le chant d'un coucou au loin, pendant qu'un geai cajolait dans les taillis. Dans ce demi-sommeil, j'aurais voulu encore rêver du renard de mes cinq ans. Je l'ai souvent cherché les soirs où nous étions à Burdignes, aux portes du jardin, sous le lampadaire du coin de la rue. Il m'arrivait même de déposer un bout de poulet ou quelques croûtes de fromage, espérant le voir se glisser entre le mur et les petits sapins le soir venu. J'ai guetté parfois au cœur de la nuit avec ma lampe de poche. Il s'obstinait à emporter mes cadeaux sans se montrer. C'est ce que je croyais. À présent, je pense que les chats du voisinage étaient simplement plus rapides que lui pour rapiner ces petits restes que je lui offrais.

De retour à la maison, grand-mère m'a annoncé que ma sœur passerait nous voir le lendemain, « du temps de midi ». C'est une expression de chez nous, pour dire « entre midi et deux ». Marie travaille à Lyon dans un magasin de sport pendant les vacances, pour financer en partie ses études. Même avant les derniers événements, et malgré ses occupations, elle ne ratait jamais l'occasion de faire un détour lorsque j'étais à Burdignes, pour venir prendre de mes nouvelles. Elle savait combien elle m'avait manqué ces deux dernières années. Encore plus depuis le début de cet été.

– Tu es contente au moins, qu'elle vienne ? Je vais lui préparer un gratin, je sais qu'elle adore ça. On ira chercher des œufs et du lait ce soir, chez ta copine.

Grand-mère aime cuisiner, c'est sa façon à elle de faire plaisir aux gens. J'ai répondu que c'était très bien et que j'étais heureuse de cette visite, avant de remonter prendre une douche et m'allonger sur mon lit, en attendant l'heure d'aller à la ferme.

En revenant à la photo grattée, je me suis interrogée sur la rage qui avait conduit grand-mère à s'acharner sur les mots *lune de miel*. Cela voulait dire qu'elle savait que sa fille avait reçu sa première claque, quelques jours après son mariage, que déjà, par sa violence, le beau jeune homme l'empêchait de dormir, lui promettant l'enfer, en lui imposant des nuits sans étoiles.

Elle avait gratté *lune de miel*, parce que déjà maman devait se taire, ne pas répondre à la provocation, à ce que lui appelait de l'énervement. Les sourires sur la photo étaient devenus très vite des larmes.

– Tu ne veux pas regarder autre chose, Élodie ?
Arrivée dans mon dos, grand-mère m'a surprise.
– Tu as bien des livres encore, autrement nous descendrons chez monsieur Plaine.
– Monsieur Plaine ?

– Oui, le libraire de Saint-Étienne. Il y a tout ce qu'il faut chez lui. Il te trouvera bien quelque chose à lire.

– Mais Marie vient demain.

– Nous irons après son départ.

Je sais qu'elle est prête à tout pour m'écarter de ces albums qu'elle laisse pourtant bien en place sur les étagères. Comme si elle ne pouvait se résoudre tout à fait à tirer un trait sur cette période. Elle a certainement de la haine à présent, pour ce jeune homme qui était arrivé un jour, chez eux, tenant leur fille par la main. Il leur avait fait bonne impression, avec sa façon de parler, ses allures polies. Mais je crois que les derniers temps, elle lui vouait une haine tenace. Elle ne lui adressait même plus la parole. Pourtant, elle y avait cru pendant longtemps elle aussi, aux belles manières, aux fausses accalmies. Devant eux, il n'était jamais vulgaire, jamais odieux, gardant cela pour maman.

– Si tu crois que je vais te lâcher comme ça ! Essaye un peu pour voir ! Essaye seulement, espèce de bâtarde !

Dans les mots, on n'entend pas que le son des lettres. Il y a aussi le claquement du tonnerre, le choc des roulements de tambour. Mon père avait cette idée fixe de vouloir que maman marche au pas, à coups de « Tu ne sais rien faire », à coups d'insultes, de grossièretés. Elle n'était pas de ce monde-là, pas habituée. Personne ne peut l'être. On ne s'habitue jamais à la douleur. Il osait même lui offrir des fleurs qui restaient dans un vase posé sur la cheminée. À midi, nous mangions souvent toutes les deux. Maman mettait de la musique, m'invitait à danser. Moi, je tremblais car je savais qu'il pouvait rentrer à l'improviste à la faveur d'un piano vite accordé chez un client. Lorsqu'il nous surprenait, il disait simplement « ça va ? », comme s'il trouvait ce bonheur louche.

– Vous êtes seules, ça va ?

Évidemment, nous étions toutes les deux, Marie au collège, puis au lycée.

– Vous êtes seules, ça va ?

Il insistait toujours de cette manière, en détachant volontairement les mots. Maman ne répondait pas, se dirigeait vers l'appareil pour baisser le son, avant de l'éteindre les yeux ailleurs, car elle savait que cette question en amènerait d'autres. Le bonheur en son absence, c'est ce qu'il ne supportait pas.

– Vous ne mangez pas ?

Rien qu'à sa façon de poser la question, nous n'avions plus envie de manger et je repartais souvent à l'école, tremblante. Et après, que faisait-il ? Que lui faisait-il ?

Il détestait nous voir rire et danser, comme s'il détestait la voir vivre.

7

Comme prévu, ma sœur Marie est passée me voir à Burdignes. Elle avait l'air d'aller bien malgré la séparation de nos parents, l'enchaînement des événements, ma présence seule chez grand-mère.

— Tu tiens, ça va ? a-t-elle demandé en passant sa main dans mes cheveux.

— Oui, c'est tranquille ici. Et toi, c'est comment, Lyon ?

— Moi, tu sais, je travaille. Entre ça et les révisions pour les examens de la rentrée, les journées filent, je n'ai pas trop le temps de gamberger. Mais j'aurai une semaine de vacances à la fin du mois d'août.

— Tu reviendras ici ?

— Oui, je crois, on ne s'est pas beaucoup vues depuis…

Grand-mère est venue vers nous. Marie a laissé sa phrase en plan.

— Si tu veux avoir le temps de manger avant de repartir, il faut passer à table. Tu as faim, j'espère ?

— Oui. Oui, bien sûr…

– Avec l'air de la montagne, tu n'auras pas besoin de te forcer !

Nous nous sommes installées toutes les trois devant un canard aux olives, une de ses spécialités. Je savais que la conversation entre ma sœur et moi serait limitée à des banalités, des petites anecdotes sur sa vie à Lyon. Elle nous a raconté pourtant les quelques journées qu'elle avait passées en Provence au mois de mars du côté de Beaucaire. Elle a aussi parlé des amandiers en fleurs et d'une sortie à cheval sur les berges du Rhône.

– Je n'avais pas monté depuis longtemps, mais c'est toujours agréable.

Dans notre vie d'avant, elle faisait du cheval tous les samedis et aux vacances, ici au centre équestre de Saint-Sauveur-en-Rue. Je n'ai pas eu le temps de l'imiter, de prendre la relève, car tout s'est désagrégé chez nous. Nous étions tous les jours derrière les cordes d'un ring. Quand les coups ne pleuvaient pas, on les imaginait, on les sentait venir. Sans toujours les comprendre, on entendait des phrases aussi violentes que des uppercuts. Nous étions si souvent aux limites du K.-O. Les mots faisaient mouche tout autant. Je les comprenais à présent, je savais distinguer les verbes, les tournures et même les subtilités, l'ironie qui pointait.

– Papa, tu es méchant !

À huit ou neuf ans, je n'osais plus prononcer devant lui cette phrase ouvertement. Je me contentais d'emmagasiner ce qui n'était ni haine ni aversion, mais une incompréhension, une colère rentrée. Tout ce que nous faisions alors était enveloppé dans ce voile fait de craintes, d'incertitudes. Pourtant sur les photos, il ne reste que les sourires, et ces paysages où posait la famille modèle, le père trônant au milieu. Un voyage en train pour les fêtes de Noël. Nous étions allés à Bordeaux, je ne sais pas pourquoi. Chez des amis de maman peut-être. Je ne me souviens que du contrôleur venu nous demander nos billets, et sortant d'une poche un nez de clown et, d'une autre, un porte-feuille d'où avait jailli une flamme. Pendant longtemps, j'ai cru rencontrer des magiciens dans les gares. Nous nous rendions aussi à Annecy, chez les parents de papa que je n'ai jamais pu me résoudre à appeler mes grands-parents. Trop distants, trop pris dans leur vie de commerçants travaillant dur. Pour des raisons que j'ignore, ils n'aimaient pas maman, ne venaient jamais nous voir. Alors il nous restait, lorsque nous allions chez eux, les promenades en barque, les randonnées sur le plateau des Glières. Puis les visites au bord du lac ont cessé pour une histoire d'argent entre mon père et ses parents. Je n'avais pas l'âge de savoir la vérité, je n'ai appris cela que dernièrement.

— Tu ne manges pas, Élodie ?

— Si, c'est encore un peu chaud, mais bon…

Je mens, ne trouvant que cela à répondre, à peine revenue de mes rêveries. Marie me fait face, et me regarde du même air doux que maman, cherchant peut-être sur mon visage un signe de tristesse ou de mélancolie.

— Je t'emmènerais bien avec moi à Lyon, mais qu'est-ce que tu ferais à m'attendre toute la journée ?

— Je t'attendrais… Et puis non, tu as raison. Ici, je peux sortir, m'allonger dans le jardin pour lire, aller marcher. Mais…

— Mais quoi ?

— Rien. Mais ça fait de drôles de vacances.

— Allez, petite, on est entre nous, bien tranquilles, ne va pas te chagriner.

Depuis toujours, grand-mère pense que les histoires d'adultes ne concernent que les adultes. Pour elle, nous n'avions pas à nous mêler d'affaires déjà bien compliquées. Plusieurs fois, nous étions venues avec maman nous réfugier à Saint-Étienne, puis à Burdignes lorsqu'ils ont emménagé dans la maison aux briques rouges. C'était toujours après des crises plus violentes que d'autres, plus insupportables. J'avais moins de dix ans, car je n'étais pas encore entrée au collège. Maman profitait de l'absence de mon père pour nous pousser dans la voiture et venir là où elle pouvait trouver un espace pour se reposer quelques heures, penser à nous, en toute tranquillité. Car jamais il n'aurait osé venir nous chercher là. Grand-père était encore vivant et il en imposait à tous. Mais il y avait l'école, où nos absences répétées auraient occasionné des questions.

Nous gardions tout pour nous. Partir précipitamment la peur au ventre ne donne jamais envie de parler. Comment dire à d'autres des émotions venues de la nuit, de la douleur, et leur raconter des images qui vous empêchent de dormir ?

8

Marie est repartie à Lyon. Son passage, même bref, a malgré tout laissé un grand vide. Juste avant de partir, elle a enfin parlé de notre situation. C'est ce que j'attendais, ce que je n'osais demander. Elle est la seule à savoir. Si peu, mais c'est la seule. Elle a dit qu'il ne fallait pas s'inquiéter : dans la maison d'accueil où réside maman, son mari ne peut la dénicher, il n'en a plus le droit. Rien d'autre. Sa fuite est à ce prix. Pour ne pas avoir à la trahir par maladresse, il ne faut pas que nous sachions où elle se trouve précisément. Elle a appelé Marie pour lui dire cela, en demandant aux autres, à moi, de patienter, d'attendre que les choses se précisent. Et qu'au fond, ça allait bien, ce que j'ai pris comme un message pour moi.

Lorsque maman a décidé de fuir les brutalités et les injures, c'est à Marie qu'elle a demandé de me conduire à Burdignes. Notre père était parti pour deux jours, rendre visite à des clients dans le Jura et du côté de Besançon. Elle savait que c'était une porte de sortie, une possibilité de fugue. Les vacances d'été venaient de commencer, rien ne me retenait vraiment chez nous. Au début, j'ai pensé que ce n'était que l'affaire de quelques jours, d'une parenthèse avant le retour aux nuits de veille. Mais maman avait mûri son plan dans sa solitude, persuadée qu'il fallait briser le cercle, s'enfuir avant qu'il ne soit trop tard. Comme dans les livres et les films où les gens disparaissent, elle m'a laissé un mot que Marie m'a donné. Elle dit regretter d'avoir si longtemps fait peser sur moi cette menace et d'avoir, par son attitude d'attente, gâché tant de jours et de mois. Elle s'excuse presque d'avoir reçu des coups et subi des humiliations.

Elle dit aussi qu'elle aurait dû nous parler de son quotidien, nous assurer que nous n'étions responsables de rien. Mais depuis longtemps, elle était en état de paralysie face à la violence qui planait en permanence. Elle savait que ses moindres gestes étaient épiés, ses moindres paroles reprises. Elle avoue son impuissance, et se demande malgré tout si cette séparation était nécessaire. Elle termine sa lettre en répétant cette phrase que j'avais dite un jour : « Si lui ne part pas, moi je m'en vais, tout en promettant de revenir la tête haute le plus vite possible. »

Le plus vite possible, je ne sais pas ce que cela voulait dire. Nous sommes séparées déjà depuis un mois, ou presque. L'éclatement dont elle parle est arrivé. Et pourtant, les photos que je m'évertue à compulser ne disent pas grand-chose de ce tourment. C'est vrai qu'à certaines périodes, elles sont moins nombreuses. L'année de mon entrée en sixième, il ne se passe rien entre l'été et le printemps suivant, comme si plusieurs saisons avaient été gommées volontairement. L'ongle de grand-mère n'y était pour rien cette fois. Pas de signes visibles d'une fête de Noël, pas de cadeaux au pied du sapin dans le salon, aucun sourire devant un paquet à ouvrir. Aucun mot non plus. Comme si nous n'avions pas existé tout ce temps. Soudain, là dans le calme de la chambre, j'ai envie de crier. Mais qui sait entendre ? Sous les coups, que l'on parle ou que l'on se taise, quelle est la différence ?

Maman connaissait cette impossibilité, cette difficulté à capter le moindre bonheur qui parfois arrivait dans la tourmente. Ces moments de pause qu'elle pouvait s'offrir lorsque l'accordeur de piano n'était pas là. Mais je crois que malgré ces instants de calme et de petits plaisirs, elle ne pensait qu'à ça, les coups, les pleurs.

L'éclatement est arrivé, nous en sommes là. Toutes les claques reçues par maman résonnent et rien n'y fait. Marcher dans la nature, regarder le ciel, rien n'y fait non plus. D'ailleurs, peut-être qu'il ne frappait plus, mais les gens ne venaient plus chez nous, nous évitaient, comme s'ils ne voulaient pas se mêler de nos affaires. Les coups donnés par mon père nous tenaient éloignés des voisins, des proches. Au fil du temps, maman n'arrivait plus à donner le change. À l'extérieur, ses sourires devenaient rares, elle parlait moins aux personnes que nous croisions sur le chemin de l'école. Le mépris et les insultes avaient fait leur œuvre.

Un soir pourtant, il est rentré de sa tournée de pianos désaccordés tout enjoué, un paquet-cadeau à la main, qu'il a déposé sur la table de la cuisine au moment du repas.

– C'est pour toi.

– Pour moi ? Il y a une raison ? Tu t'es trompé de jour anniversaire.

– Non, je ne me suis pas trompé, c'est pour toi. Je voulais te faire plaisir.

– Merci, a fini par lâcher maman du bout des lèvres.

Puis, comme si de rien n'était, elle est retournée devant la cuisinière pour couper le gaz sous la casserole. D'un air détaché, elle a dit à l'adresse de mon père :

– Tiens, je t'ai fait des raviolis pour te faire plaisir.

L'air soudain est devenu lourd, il a levé la tête et l'a suivie du regard dans ses dernières déambulations, avant qu'elle ne vienne s'asseoir avec nous.

– Tu n'ouvres pas ton cadeau ?

– Tout à l'heure, ça va refroidir, servez-vous.

En silence, chacun s'est servi, j'avais du mal à avaler, j'accompagnais chaque bouchée d'un verre d'eau.

– Tu sais, chérie, tu m'excuseras pour l'autre soir, j'étais un peu fatigué.

– Et j'ai fait quoi pour mériter ça ?

– Tu exagères tout ! Allez, ouvre ton paquet, ne fais pas la fière.

Elle s'est pourtant obstinée à ne pas l'ouvrir, lui tenant tête jusqu'à la fin du repas. Pour ne pas subir cette scène, je suis partie le plus loin possible à la recherche du renard. Même la nuit, j'ai continué à le poursuivre dans les taillis, tenant à la main un cadeau que j'avais préparé pour lui. Un pot de miel, un bout de fromage, une tranche de pâté, je ne sais plus. Je courais vers la Croix de Chaubouret, la Madone de Bordeaux, très loin au-delà de la ligne des sapins. Le renard se retournait malicieusement, et reprenait sa course par petits sauts, à frêles enjambées. Là-haut, très loin, dans la forêt de la Faye, je n'entendais plus les cris, simplement le souffle lent du vent, les oiseaux nocturnes dans leurs chants.

9

Je ne me souviens plus de ce que contenait le paquet-cadeau, ni de rien d'autre de la nuit qui s'ensuivit. Maman, comme souvent, a peut-être demandé pardon. Les pardons, elle pouvait en faire une guirlande, je crois. C'est toujours elle qui cédait, baissait les bras et rendait les armes sans même les avoir sorties. Grand-mère l'a élevée dans la gentillesse, le respect. Chez les gens de sa génération, on s'excuse pour un petit geste maladroit, une minute de retard au repas du soir. Pas pour des coups reçus et que l'on ne mérite pas. Les claques, ça fait mal un instant, surtout ça résonne longtemps dans la tête. Une fois que l'on entend le tambour de la peur, il ne vous lâche plus.

Si ça s'est inscrit dans le corps de maman, c'est aussi gravé en moi. Sans le dire, sans le penser, je le savais. Vers les cinq ou six ans, mon père a voulu que je prenne des cours de piano. Mais déjà ça s'était désaccordé en moi, j'avais horreur de l'instrument.

Des pièces du bas remontent des vapeurs d'eau chaude et de Javel. Femme de devoir, grand-mère doit faire son ménage, astiquer les sols, par habitude plus que par nécessité. Pourtant, même ces odeurs me ramènent à maman.

— Tu descends, Élodie ?

— Oui, j'arrive.

J'avais oublié que nous devions aller à La Versanne, marcher sur le sentier des Moulins. Grand-mère voulait m'y emmener depuis longtemps. C'est un de ses chemins d'enfance préférés. Nous avons longé des champs de coquelicots. J'ai marché, mais avec la tête ailleurs. J'avais vu par hasard, un matin à la télé, une émission sur les violences morales. Pour une fois, j'étais seule un moment, et j'ai entendu des choses que je connaissais depuis toujours. Ce qui fait mal, ce sont plus les mots que les coups. Et le silence aussi. Le fait de ne pouvoir parler à personne. Il fallait que ces choses sortent, c'est ce qu'ils disaient pendant le débat à la télé. En écoutant une psychologue parler, j'ai compris aussi pourquoi depuis longtemps, je traînais cette idée curieuse d'être coupable, comme si c'était moi qui avais porté malheur à maman, en arrivant dans leur vie, en provoquant des soucis supplémentaires. Même si les photos disent souvent le contraire, cette pensée me harcèle. L'album renferme tant de silences, de petits bonheurs perdus. Je m'accroche aux ombres, aux silhouettes rayées par les coups d'ongle rageurs de grand-mère. C'est mon histoire qui dort là, celle encore plus chaotique de maman. Bien avant que nous ne soyons au monde, ma sœur et moi, une autre vie lointaine ou confuse, mais déjà jalonnée de coups, de cris d'intimidation.

— Tu vois, Élodie, ici, en contrebas, ton arrière-grand-père possédait une grange. On venait y passer du temps l'été, il nous arrivait même de dormir là les samedis soir.

— Et tu n'avais pas peur ?

Cette question m'est sortie de la tête, comme ça, car je ne savais quoi dire. Cela n'a pas semblé gêner grand-mère qui a continué.

– Oh ! non, bien au contraire. On se baignait dans le petit ruisseau, et en rentrant on accrochait nos affaires mouillées à la corde à linge.

– Maman aussi a dormi là ?

– Oui, plusieurs fois. Même qu'une nuit, on a capturé un loir. Elle a fait toute une histoire, car elle ne voulait pas qu'on le tue.

– Vous vouliez vraiment le tuer ?

– Tu sais à la campagne…

– Et qu'est-ce que vous en avez fait ?

– Ta mère l'a gardé dans une cage plusieurs jours, avant de le libérer derrière la maison.

– Et vous l'avez revu ?

– Oh ! tu sais…

– Tu ne me parles de maman que lorsqu'elle était enfant.

– Qu'est-ce que tu racontes là ?

– Tu fais comme si elle n'avait pas de vie à présent.

– Ces histoires d'adultes ne te concernent pas.

– Et qu'est-ce que tu en sais ? Il faut que je voie quelqu'un.

– Quelqu'un ? Comment ça quelqu'un ?

– Quelqu'un à qui parler de toutes ces choses.

– Ces choses ?

– Tu sais très bien, mamie, ces photos que tu grattes, et celles que tu as déchirées.

– Oh, tu sais…

Nous marchions l'une devant l'autre, je n'ai pas vu son visage à cet instant, mais elle n'a rien répondu, à part cette phrase inachevée. Au bout d'un long moment de silence, elle s'est arrêtée, s'est tournée vers moi.

– Tu veux rester ici à la rentrée ?

– Ici, chez toi, à Burdignes ?

– Oui, à la maison.

– Et le collège ?

– Tu pourras aller à Bourg-Argental.

– Il faut en parler à maman, non ?

– Oui, tu as raison, mais en attendant de pouvoir le faire, je voulais d'abord te le proposer.

C'est vrai que je n'ai jamais pensé à cela. Une séparation. Une séparation, voilà ce que me propose grand-mère. Moi qui oscille entre la culpabilité et la colère depuis si longtemps, souvent j'ai envié ceux qui vivaient avec de la musique collée aux oreilles, le jour et la nuit. Déconnectés du monde. Le mien tient dans des images lacérées, effacées à coups d'ongle, dans des souvenirs éparpillés comme une valise ouverte au retour d'un voyage. Tout est là sur le plancher de la chambre, à Burdignes, dans un désordre indescriptible. Mais aujourd'hui, j'ai envie d'y voir clair. Plus clair.

– Tu crois que c'est une bonne idée ?

– Peut-être. Tu peux au moins essayer le premier trimestre, en attendant…

– Il n'y a rien à attendre, tu le sais bien.

– À ton âge, on se remet de tout.

Je ne sais pas si elle disait cela pour alléger ma peine, mais le fait qu'elle puisse croire que je prenais ma vie à la légère, malgré ce qui arrivait à maman aussi, m'étonnait.

– Justement, je veux me remettre de tout. Je t'ai dit qu'il fallait que j'aille voir quelqu'un.

– Tu veux dire un médecin ?

– Oui, je ne sais pas, moi, un psychologue…

– Et d'où te vient cette idée ?

– C'est en regardant la télé, l'autre matin. Ils parlaient de…

– De qui ?

– De nous, de la violence…

– Je vais aller voir mon médecin, le docteur Ernest, pour savoir ce qu'il en pense. Si ça peut te faire plaisir, après tout.

Je ne suis pas certaine que grand-mère comprenne ma demande, mais comme d'habitude, elle voudra me faire plaisir. C'est peut-être de là qu'est venue à maman cette idée que le bonheur, ça se partage.

10

À peine de retour à la maison, j'ai regagné mon navire sur les hauteurs, avec la vue sur les collines d'Ardèche, sur les montagnes au loin. Les Alpes, les lignes ciselées, du mont Blanc au Vercors. L'idée de vivre ici ne me déplairait pas, dans le fond. J'aime ces chemins, ces odeurs d'herbe brûlée dans les talus, d'étables à l'heure de la traite et de forêts épaisses. J'aime les sentiers, les sources du plateau, la solitude possible. Mais dans ma situation, j'ai peur de vivre cela comme une réclusion. Quelques semaines d'été peuvent être supportables, mais qu'en sera-t-il une fois que les jours auront raccourci au point de n'offrir que la nuit au départ le matin, et au retour du collège le soir ? Qu'en sera-t-il lorsque la neige aura recouvert la route pour de longues semaines ?

Et maman, comment lui imposer cet abandon, même si parfois elle le souhaitait au sortir d'une crise ? Quand tour à tour, la boulimie, le stress la cernaient. Elle qui voulait ne plus m'entendre dire : « Cache-toi, maman, papa va te taper ! » Car les paroles sont venues avec le temps. Paroles que je prononçais comme si c'était une évidence de vivre avec. Et pour maman, cette peur collée au ventre en permanence, ces sourires de façade à l'extérieur ou lorsque quelqu'un sonnait à la porte. « Cache-toi, maman ! » Elle ne se cachait même plus, à quoi bon ? Et du haut de mes cinq ans, je toisais mon père en lui disant : « Sale méchant ! Tu es méchant ! »

Je plonge mon regard dans les cahiers d'enfance. À la fin de la dernière année de maternelle, nous étions revenues toutes deux chargées d'un trésor rangé dans une pochette contenant des photos de classe, mes premières lignes d'écriture, mes dessins. Je me souviens surtout et très précisément de l'un d'eux, qui représentait un ogre terrassé par un chat. L'ogre était minuscule et se tenait penaud dans un angle de la feuille, pendant que le chat, habillé à la manière d'un mousquetaire, se penchait sur lui, en le menaçant d'une épée.

Pourquoi n'ai-je retenu que cela ? Il y avait pourtant, dans ce que j'avais ramené, des pleines pages de comptines, des lettres maladroites et penchées de tous côtés, qui au fil des mois se redressaient. Mais c'est cette image du chat et de l'ogre qui m'est restée. La voix de grand-mère me ramène à l'instant présent.

— Je vais chez le docteur Ernest. Tu veux venir avec moi ?

— Non, vas-y seule. Tu en as pour longtemps ?

— Je ne sais pas, il me prendra entre deux rendez-vous.

— Non, je reste. Je vais appeler Jany.

Grand-mère s'est ralliée à cette idée de consultation. Reste à savoir ce que lui dira son médecin. Quand elle s'est éloignée, j'ai appelé Jany pour ne pas rester seule à gamberger sur cette question. Elle n'est pas libre tout de suite, elle doit aider ses parents à nettoyer le laboratoire à fromages. C'est là que sa mère fabrique les fromages qu'elle vend sur les marchés d'Annonay et de Bourg. En attendant qu'elle arrive, je parle au vide, imagine comment pourrait être cette femme ou cet homme à qui je parlerais pour que s'éloigne ce sentiment de honte qui s'accroche à moi depuis des mois. Cette honte me donne l'impression d'être différente, maladroite. J'aimerais pouvoir oser, hurler, me défaire de cette idée, ne pas perdre constamment l'équilibre dans ce monde où le silence habite souvent bien des blessures.

« Maman, tu me parles un peu d'hier soir ? » Elle ne me répondait pas, voulait garder porte close sur son royaume qu'elle protégeait d'un trait de maquillage. Un album est à présent ouvert sur mes genoux, dernier refuge de ces instants écorchés. Souvent, les mêmes sourires éclairent les visages. Marie au diapason, heureuse sur un vélo autour d'un lac dont le nom est encore écrit sous la photo. Une encore, que le bonheur parcourt et que grand-mère n'a pas condamnée d'un geste rageur. Marie au pied d'une cascade. Elle vient de tomber à l'eau et apparemment, tout le monde s'amuse de l'événement. On la voit se relever, s'ébrouer, la mine réjouie. Les adultes doivent en faire de même. Marie et son éternel regard d'insouciance, sous les hêtres du printemps. Aucune date n'est notée au verso en bas de page. On distingue à peine ma silhouette au milieu d'un sentier qui monte à travers de grands sapins, puis grimpée sur un tas de neige qui borde le chemin boueux. C'est une de ces randonnées que nous faisions en famille en partant tôt le matin de la maison que mes parents avaient louée. Pendant ces marches, chacun pouvait plonger dans son monde, compter le nombre de pas, admirer les plus hautes fourmilières, s'arrêter quelques instants pour contempler l'enfilade des lacs en contrebas. Juste au pied, c'est celui d'Ilay où notre père s'en allait à l'aube certains jours, pour des parties de pêche auxquelles nous n'étions pas conviées. Maman ne semblait pas le regretter. Nous allions au plus proche village pour faire quelques courses, visiter une ferme, rapporter quelques spécialités du coin. Parfois nous emmenions Marie dans un centre équestre, où elle pouvait monter des poneys, et moi caresser les chevaux, jusqu'au jour où nous n'y avons plus mis les pieds, à cause du caractère grincheux du patron. Un revêche parmi les chevaux, c'est souvent comme ça, dans les centres équestres.

Certaines photos de cette période manquent aussi. Déchirées, mises en miettes, ou simplement récupérées par maman pour compléter un de ses propres albums, quand elle en avait. Il est possible aussi que l'une ou l'autre se soient décidées à ôter de leur vue des instants malheureux.

Lorsque Jany arrive, je laisse les roseaux des lacs danser, une barque verte à ses clapots, un ciel apparemment bleu, une brise légère parcourir les forêts.

— Je vais à la pêche à l'étang de Prélager à côté de Saint-Régis demain matin. Tu veux venir ?

— À la pêche ? Toutes les deux ?

— Non, avec Gabriel notre voisin.

— Et on y va comment ?

— C'est son père qui nous emmène, il en profitera pour retrouver un ami. Tu viens ?

— Pourquoi pas ? Mais j'ai peut-être un rendez-vous demain…

— Un rendez-vous ?

— … Chez le docteur.

— Tu es malade ?

— Non, mais c'est pour vérifier quelque chose.

Poliment, elle n'a pas insisté. Puis, comme d'habitude, nous sommes allées nous asseoir sous le tilleul plusieurs fois centenaire, les pieds trempés dans la fontaine. De là, on peut regarder les randonneurs grimper vers la croix de Chirol, les cyclistes venir se rafraîchir, et nous, échanger quelques mots simples, des sourires. Ici à Burdignes, quand on refait le monde, il se modèle au contour des collines. Au-delà, c'est un autre univers.

11

Comme les photos, les miroirs parlent-ils ? Je ne sais pas, j'évite d'y croiser mon regard. J'ai l'impression qu'un vent souffle en moi, me ballotte, me trimbale là où il veut. J'essaye d'avoir prise sur ce que devient ma vie, mais les rafales poussent dans tous les sens. Peut-être que dans quelques jours, j'y verrai plus clair. Grand-mère est revenue avec le nom d'une psychologue, conseillée par son médecin.

– Le docteur a dit qu'elle avait bonne réputation.

– Et qu'est-ce qu'il a dit d'autre ?

– Rien. Mais que s'il en avait besoin, il y enverrait ses propres enfants.

– Il a des enfants ?

– Non, c'est une façon de parler.

– Et nous, on y va quand ?

– Tu y vas ! Mais je t'emmènerai.

– Oui, bon, et j'y vais quand ?

– Je l'ai appelée, elle m'a proposé un rendez-vous pour mercredi prochain, à 10 heures. Ça ira ?

– Oui, ça ira. Si ça pouvait être une bonne idée.

– Tu verras bien. Par contre, je crois qu'il faudra y aller souvent.

– Souvent ? Combien de fois ?

Grand-mère s'est éloignée discrètement comme si elle n'avait pas entendu la question. Avant qu'elle ne disparaisse vraiment, j'ai crié pour l'avertir de la sortie à l'étang de Prélager.

– Demain, je ne serai pas là !

– Comment ça, pas là ?

– Je vais avec Jany et un de ses copains à la pêche près de Saint-Régis.

– Et qui vous emmène ?

– Le père du copain.

– Bon, si ça te fait plaisir. Mais je vais appeler chez Jany et m'expliquer avec sa maman.

La porte du couloir du bas a claqué, je suis à nouveau seule avec mes fantômes de papier glacé. L'album à la page du jour de mes dix ans, où je ne sais pourquoi j'avais insisté pour inviter une amie à mon anniversaire. Nous avions campé une nuit dans le pré bordant la maison de Burdignes. C'était un samedi, maman nous avait conduites, Marie et moi, pour une parenthèse dans les montagnes de son enfance. Elles sont restées dans la maison, pendant que nous couchions avec Céline sous le ciel clair du Pilat. Nous avons regardé les étoiles, une partie de la nuit, en formulant des vœux de toutes sortes, certains à voix haute et d'autres tout doucement pour l'intérieur. Je crois me souvenir que j'avais demandé à la terre de cesser de tourner, que tout en reste là, à mes dix ans, sans les gâcher davantage. Mais les étoiles filantes sont sourdes, passent trop vite, n'écoutent pas les petites filles. Alors, le matin est arrivé avec ses bruits d'animaux au loin, ses chuchotements, sa couche de rosée sur l'herbe verte des champs. Avec aussi, comme un premier cadeau, le visage doux de maman venue à notre rencontre avec un bol de lait chaud, mélangé à du miel. Sur la photo, on ne voit que la grande table du salon, avec une belle tarte aux fraises où des flammes de bougie dansent. On ne voit pas mon hésitation à balayer d'un souffle une partie de vie. Je voulais avoir dix ans, dix ans toujours, peut-être jusqu'à ce que maman retrouve en permanence son beau sourire.

J'ai soufflé quand même, nous étions là pour ça. Sur une autre photo, j'ouvre quelques paquets contenant des livres, ma ligne de fuite, mes sentiers d'égarement. Pourtant, même cette nuit sous la lune, je n'ai rien dit à mon amie Céline, de ce qui me hantait et me mangeait le cœur. Persuadée d'avoir, je ne savais comment, provoqué ce cataclysme un jour, un matin, par un geste maladroit, un mot de travers, ou un silence encore, comme je peux faire. Je n'ai rien dit, ni cette nuit ni une autre fois, témoin de choses qu'on ne raconte pas. Ou peut-être alors à une étrangère à l'oreille attentive. Mais que dire sans réveiller les revenants, les ombres tapies dans chaque coin de ma mémoire ? Même pas les elfes blancs des forêts de Brocéliande ou des grottes de Chorange. Seulement, les elfes noirs au rire de crécelle.

Je lui raconterai. Ou peut-être ne dirai-je rien, une nouvelle fois, enfermée dans les images de ces nuits que j'ai vécues, ces cris que j'ai entendus.

– Tu l'auras bien cherché ! Tu l'auras bien cherché !

Je ne sais pas pourquoi, il répétait toujours les phrases de menace, les mots qui accompagnaient les coups. Maman ne cherchait rien au bout de ses grands yeux, de sa voix fine, prise par les hoquets, les pleurs. En ai-je retenu assez, de ces moments, pour les livrer comme ça, calmement, assise sur une chaise en face d'une personne que je n'ai jamais vue. Lui raconter que malgré tout, et j'en ai honte souvent, j'aime mon père aussi fort que je le hais.

Pendant ce temps, dehors, une journée s'achève, rythmée comme chaque début de soirée par le retour des vaches à l'étable, les conversations des vieilles personnes rassemblées sur les bancs, près de l'école du village. La fraîcheur tombe et adoucit les sons glissant sur les coteaux. Comme tous les vendredis, grand-mère va m'appeler pour la loterie des petits restes. Chaque soir de fin de semaine, au menu il y a « petits riens, petits restes, petit riz », une manière qu'elle a d'accommoder ce qui subsiste au fond des plats. C'est sa façon à elle de ne rien jeter, même pas aux poules. Lorsqu'elle le fait, c'est que j'ai eu du mal à finir mon assiette, à cause d'une petite boule dans le ventre, qui arrive sans prévenir, une envie de voir maman, dont je suis séparée depuis un mois. Un désir de lui prendre la main, comme au temps de la maternelle, lorsque nous longions la grille de l'école des grands. Pour elle, j'avais appris à lire au moment où la plupart des enfants tétaient encore leur sucette. Des mots que j'allais chercher dans des livres, et que je recopiais sur des feuilles à carreaux, avant de les lui offrir comme des preuves d'amour.

Je lisais, et chaque mercredi, nous allions à la bibliothèque faire le plein de trésors. Aujourd'hui, quand les mots viennent, c'est moi qui les invente en cachette dans le carnet qu'elle m'a offert juste avant de partir. Sur la couverture, il y a la reproduction d'un tableau : *La jeune fille à la perle*. D'elle, je ne sais rien, pas pris le temps d'aller voir ce qu'il y a plus bas que ce visage, derrière ce regard plein d'amour ou de crainte, ses cheveux pris dans une coiffe jaune et bleue. Ses lèvres ceintes d'un rouge vif. D'elle, je ne sais rien, mais elle m'a accompagnée tant de nuits, d'après-midi grises où le stylo bleu prenait la place du ciel.

La voix de grand-mère me parvient. C'est l'heure des petits riens. Je laisse la jeune fille et sa perle suspendue à l'oreille gauche.

12

Le lendemain très tôt, nous avons pris la route de Saint-Sauveur pour notre partie de pêche. Le père de Gabriel conduisait la voiture en silence comme s'il dansait un ballet sur la route qu'il semblait connaître par cœur. Il a juste ralenti avec un petit sourire aux lèvres, quand dans un virage ont débouché du talus quatre ou cinq chevreuils habitués des lieux. Il y en a beaucoup dans la forêt. À l'entrée du village, il s'est arrêté chez un charcutier pour notre repas du midi, puis nous avons traversé le village en direction du col de Tracol. Lorsque nous sommes arrivés à l'étang de Prélager, le père de Gabriel a monté les cannes, donné à chacun d'entre nous les appâts, quelques conseils aussi. J'étais novice en matière de pêche, alors qu'ils semblaient tous deux avoir écumé toutes les rivières et les lacs de la région. Jany connaissait des rudiments et m'a proposé de rester près d'elle. Sans que je m'en rende compte, un grand silence s'est installé au-dessus des tourbières qui entourent l'étendue d'eau. Nous n'entendions que les clapots des petites vagues formées par le vent, le sifflement des roseaux, des chants d'oiseaux dans le lointain. Nos yeux étaient rivés sur les bouchons qui dansaient ; à chaque soubresaut, je tirais sur ma canne pour me rendre compte qu'il n'y avait rien au bout de la ligne.

– Sois plus patiente, m'a chuchoté Jany. Laisse-les mordre. Après, d'un seul coup tu pourras ferrer.

– Ferrer, ça veut dire quoi ?

– Il faut donner un bon coup de canne, comme ça, avec le poignet pour que le poisson s'accroche à l'hameçon.

Rien qu'à cette idée, je me suis bien gardée de ferrer quoi que ce soit, n'ayant pas envie d'avoir à décrocher un poisson gluant et frétillant. Le silence est retombé jusqu'à ce que Gabriel se mette à hurler.

– J'en ai un ! Papa, j'en ai un !

– Moins fort ! Tu vas faire fuir tous les autres !

– Vite, vite, papa ! Il va retomber !

– Et hop ! Il est déjà dans l'épuisette.

Je me suis approchée pour admirer la prise, juste avant que le père de Gabriel, d'un mouvement délicat, ne libère le poisson pris au piège, avant de le remettre à l'eau, la paume tournée vers le ciel. J'étais étonnée de voir un geste d'une telle douceur. Une main d'homme qui caresse le ventre d'une truite en la reposant entre deux petites vagues. Une main qui redonne la vie.

Le reste de la matinée, je me suis contentée d'observer les autres. Au loin, au milieu de l'étang, deux hommes debout sur une barque amarrée loin de la rive. Des fumerolles dansaient sur l'eau, comme un petit brouillard léger d'avant la grande chaleur de la journée. J'ai dû m'endormir là, emportée vers chez nous, cherchant à retrouver la couleur de la tapisserie, un détail, un dessin où j'aurais à une certaine heure accroché mon regard. Les couleurs ne viennent pas, juste des bruits dans le jardin, par la fenêtre ouverte, un chant d'oiseau nocturne, un coup de tonnerre au loin. Ce serait l'été aussi, et il fait chaud, je me glisse hors des draps pour aller de plus près entendre le hibou, la hulotte, et je reste là, bouche ouverte, happant l'air à peine frais. Mais c'est une autre voix qui vient des pièces du bas, une voix qui monte et descend, s'élève, arrive jusqu'à moi. Marie n'est pas là, chez une amie peut-être. Alors c'est samedi, c'est un samedi forcément, et la voix s'est tue soudain. Je me glisse vers la porte que j'entrouvre lentement, me tordant le poignet pour éviter tout grincement. Elle résiste, j'insiste, dans le rai de lumière s'engouffre la respiration saccadée de maman. Je crois qu'elle rit, que les adultes savent s'amuser tard le soir, ou en pleine nuit. Mais quand l'autre voix hurle : « Il n'y a qu'un patron ici, c'est moi ! C'est bien clair ? », personne ne répond.

Je ne sais toujours pas quelle était la couleur de la tapisserie. Puis j'ai entendu des robinets que l'on ouvre, un pas lourd dans l'escalier. Dehors, la hulotte s'est mise à lancer son cri lugubre.

Et sans savoir, nous sommes demain, ou un autre jour, maman m'arrange ma robe, ajuste mes cheveux avec ses doigts, elle dit : « C'est la rentrée. » Chez grand-mère, à Burdignes, j'avais oublié le temps, comme souvent. Nous étions sans doute partis en vacances visiter des châteaux sur la Loire, quelques jours, une semaine, allés écouter des concerts dans des églises où il faisait doux, où les gens n'avaient que des sourires aux lèvres. Papa aussi. Je voyais même sa main suivre les notes en tapotant sur ses genoux. Maman penchait la tête vers moi, les yeux perdus là-haut vers la nef, au loin derrière les vitraux. Cet été-là, nous avons peut-être campé au bord du Cher ou le long du canal du Berry, visité de belles maisons, de beaux jardins. Je me souviens d'un labyrinthe d'ifs, où j'essayais de me perdre. Mais immanquablement, Marie me retrouvait. Et puis venait la fin, le temps du retour.

– C'est la rentrée, il faut que tu sois belle.

Je rentrais je ne sais où. « Rentrée », c'est un mot que je n'aimais pas, car retrouver mes amies, c'était aussi savoir garder un lourd silence, me sentir épiée à la moindre question. Avant de prendre le chemin de l'école, maman me prenait en photo devant le portail du jardin. J'en retrouverai peut-être une dans les albums. Après, sur le chemin, je m'inventais des histoires avec mon renard, pour que la matinée soit bonne, la séparation tranquille, pour avoir l'impression de la quitter sans me faire de souci. Lorsque Marie était au collège, maman venait me récupérer, et m'emmenait faire des virées dans la campagne, assise dans une remorque accrochée à son vélo. Je criais à tue-tête pendant que maman hurlait. Nous croisions rarement du monde sur ces chemins de campagne, sauf à l'époque de la chasse où les hommes en treillis nous jetaient des regards peu aimables. Nos soirées de début d'automne commençaient souvent de la sorte. Mais un soir, dans une descente, maman a fait une mauvaise chute et s'est cassé le poignet.

J'étais presque heureuse de la voir avec son plâtre à la main droite. Secrètement, je me disais : « Une qui ne sera pas tordue la nuit venue. »

– J'en ai un ! J'en ai un !

Je m'éveille en sursaut. Au bord de l'eau, Jany bondit et court dans tous les sens. En ouvrant les yeux, je reconnais aussitôt le ciel tapissé de bleu, avec ce qu'il faut de vent dans les branches des sapins, autour de l'étang.

– J'en ai un ! J'en ai un !

En quelques mots, le bonheur incontrôlable de tenir, au bout d'une ligne, un pauvre poisson qui gigote. Comme les autres, il sera remis à l'eau par les mains attentives du père de Gabriel. Ce rituel de tendresse, que je regarde comme un petit bonheur.

13

Le mercredi suivant, grand-mère me dépose rue Traversière, près de la bibliothèque municipale, pour mon premier rendez-vous chez la psychologue. Elle a juste pris le temps de la saluer, avant de s'éclipser dans les rues du centre-ville. La psychologue n'a pas l'allure vieillotte que je m'étais imaginée. C'était une femme jeune, surmontée d'une crinière rousse et ondulée.

– Bonjour, tu t'appelles Élodie.

– Oui, c'est ça, Élodie.

C'est de cette manière que l'entretien a commencé.

– Je crois que tu voulais voir quelqu'un pour parler.

– Oui, c'est ça, parler, raconter un peu.

– Raconter…

– Je ne sais pas vraiment, juste raconter la vie quoi, la vie, oui.

– Ta vie.

– Oui, un peu. Dire des choses.

– Importantes…

– Peut-être, oui, importantes, des choses pour respirer un peu mieux…

– Des choses de la vie de tous les jours ?

– Oui, un peu.

– La vie est difficile en ce moment ?

– Non et oui, ça dépend. Des fois c'est pas drôle, des fois oui.

– Toi, tu as l'impression d'être quelqu'un de drôle ?

– Oui.

– Bien, parce que…

– Parce que je suis née un mardi, comme dans le dicton.

– Un dicton ?

– Oui, le dicton de maman. C'était comme une récitation. Elle disait : « Celui qui naît le lundi sera sage, celui qui naît le mardi sera drôle… »

– Et tu connais la suite ?

– Oui, à peu près. « Celui qui naît le mercredi sera gentil… » Bon, mais c'est un peu bête, hein ?

– Tu as quel âge ?

– Quinze ans.

– Et comme ça, ta maman te racontait cette histoire…

– Oui, celle-ci et plein d'autres.

– Tu voulais me parler de cette histoire, alors ?

– Non, c'est parce que j'ai dit que j'étais drôle.

– C'est vrai.

Ainsi, je n'ai pas vu passer l'entretien. Elle ne posait pas vraiment de questions, mais c'est un peu comme si elle m'invitait à penser sans avoir à dire des choses importantes. Je n'ai pas parlé de papa, de sa violence envers maman, non, juste des choses pour reprendre souffle et vie. Lorsque grand-mère est venue me récupérer, la psychologue nous a proposé un nouveau rendez-vous.

– Du temps de midi, si vous avez.

– Oui, à onze heures quarante-cinq, lundi.

– Parfait, comme ça on pourra aller faire des courses après, et manger un bout en ville.

J'avais l'impression que grand-mère était plus excitée que moi à l'idée de descendre souvent à Saint-Étienne. Le rendez-vous suivant a commencé tranquillement.

– Je t'écoute, explique-moi pourquoi tu veux me voir.

Assise en face de moi, elle attendait patiemment la réponse, sans vouloir la provoquer, sans chercher à me tirer les vers du nez, sans vouloir répondre à ma place. Plantée sur ma chaise, je venais de me rendre compte que je n'étais pas venue pour parler de mon père, de sa violence. J'ai fini par lancer une phrase un peu au hasard, comme si j'étais obligée de me jeter à l'eau.

– Je voulais parler à quelqu'un.

– Raconter la vie, oui tu as dit ça. Qu'est-ce que tu en penses ?

– De la vie ?

– Non, le fait que tu voulais parler à quelqu'un.

– Je crois qu'il faut que je parle du manque… de l'absence…

Ces deux mots étaient venus à moi, sortant de je ne sais où. Elle ne s'en est pas emparée. Un nouveau silence s'est installé.

– Je suis souvent seule.

– Ici, pendant les vacances ?

– Ici et ailleurs.

– Tu as pourtant des amis.

– Oui, et pourtant…

– Et pourtant…

– Avec eux, on ne parle que de choses banales.

– Ce que vous vous dites est banal ?

– Oui, un peu, j'ai l'impression.

— Et tu voudrais leur parler de quoi ?

— Je ne sais pas précisément. Leur parler parfois du renard.

— Le renard du Petit Prince ?

— Non, le mien, celui de mon carnet.

Sur le coup, j'ai eu un peu honte de me hasarder sur ce terrain, peur de paraître ridicule, mais j'étais coincée. J'ai simplement murmuré :

— Je crois que j'en parlerai la prochaine fois.

— Comme tu veux, a-t-elle répondu.

Après la séance, nous sommes allées avec grand-mère manger dans un petit restaurant de la place Jean Moulin. Comme promis, elle ne m'a pas interrogé sur ce qui s'était dit rue Traversière, à peine m'a-t-elle demandé si cela s'était bien passé. J'ai répondu oui, en regrettant l'arrivée proche du mois d'août.

— Elle part en vacances pendant quinze jours. Comment on va faire ?

— Eh bien, on attendra qu'elle revienne !

Grand-mère n'avait pas dit ça avec l'intention de faire mal, juste avec le ton de sa logique paysanne.

— Faut bien qu'elle se repose aussi ! C'est qu'elle doit en entendre, toute la journée, des gens qui…

— Des gens qui sont détraqués ? C'est ça que tu veux dire ?

Je m'étais emportée et je le regrettais déjà, ce n'était pas dans ses habitudes d'être méchante. D'ailleurs, elle a essayé de se rattraper immédiatement.

— Je t'ai fait de la peine, ce n'est pas ce que je voulais dire, ma belle.

Le restaurant se vidait peu à peu, la chaleur commençait à monter sur la ville. Il était temps de retrouver nos montagnes. Après un dernier trajet en tramway, nous avons repris la route de Burdignes.

14

Au bal du quatorze Juillet, les gens dansent au son de l'accordéon depuis un bon moment. Sur la place du Marché de Bourg-Argental, une estrade est dressée, pour qu'un groupe de musiciens donne à la soirée un air de fête. Comme sur les photos de mes parents, les gens ont l'air heureux. Chez nous, on ne danse plus depuis longtemps. Lorsqu'il l'invitait en lui disant « Tu viens, on danse » sur le ton de la provocation, maman refusait ses chansons, ses manières. Pour elle, les poings avaient remplacé la musique et les mots. J'ose à peine imaginer s'il savait la prendre dans ses bras, comme les couples que je vois tourner sous les guirlandes multicolores. Sous mes yeux, quand les photos défilent, je ne crois plus à cette mascarade. En regardant les femmes rire et se prélasser aux bras de leurs hommes, je ne peux m'empêcher de penser à celles qui partagent peut-être le sort de maman.

En attendant, je cueille ce qui ressemble à un peu de bonheur, une respiration, l'imaginant là-bas, je ne sais où, pour l'instant à l'abri des mains de l'accordeur de piano. Je danse pour elle, en me déhanchant autant que je peux, tenant à distance par le regard les garçons qui me tournent autour. Grand-mère veille au grain. Elle aime ce bal du quatorze Juillet, car c'est ici qu'elle a rencontré son mari, mon grand-père. Quand elle parle de cet événement, elle dit toujours : « C'était comme ça avant, il ne fallait surtout pas se tromper d'homme. Mon homme ne buvait pas, je n'aurais jamais aimé un homme qui boit. C'est pour lui que je viens écouter la ritournelle, le musette. » Elle dit aussi qu'ils étaient capables de tourner toute la nuit, accompagnés au petit matin par la transhumance des étoiles. Des filantes qui permettaient de faire des vœux, de se donner de l'illusion avant le retour du jour, du travail dur et des difficultés.

Pendant que les gens s'émerveillent du feu d'artifice, je réalise que je suis à Burdignes depuis quinze jours. Quinze jours depuis que Marie est venue me chercher un soir à la sortie du collège. Elle m'attendait de l'autre côté de la rue, près de l'arrêt de bus. Elle souriait, mais à peine, juste son attitude familière, ses yeux plus tristes peut-être.

– Qu'est-ce que tu fais là ?
– Viens, il faut que je te parle.
Je l'ai suivie machinalement jusqu'à la voiture.
– Élodie…
– Oui, je t'écoute.
– Il faut que je t'emmène à Burdignes.
– Samedi ?
– Non, là, maintenant.
– Et maman ?
– Maman est partie.
– Comment ça, partie ?
– Oui, partie pour échapper à papa.
J'ai vécu le reste de la conversation et le trajet jusqu'à la maison dans un état second. Dans ma chambre, nous avons emporté à la hâte quelques vêtements, deux ou trois livres que j'aimais et mes carnets.

– Je reviendrai, si tu as besoin d'autre chose.

À l'instant, j'avais surtout besoin d'air pour avancer, incapable d'imaginer une suite, un lendemain.

– Allez, on y va.

Nous avons pris la route en silence. Même si elles me brûlaient les lèvres, je n'osais poser la moindre question. Il ventait dans ma tête comme au cœur de l'hiver sur le plateau de la Faye. Nous roulions vers l'Ardèche aux portes de l'été, et je pensais à l'hiver, aux traces d'animaux dans la neige poudreuse et même aux promenades en raquettes le long des sentiers balayés par le froid. Sous les grands arbres, le soleil lançait quelques rayons, de la fumée sortait de nos bouches. Je chantais en marchant, je chantais toujours pendant que maman se promenait dans ses pensées. De temps en temps, papa secouait les branches d'un jeune sapin pour que nous soyons couverts de neige. Cela l'amusait et l'on entendait l'écho de son rire résonner sur les collines. Sur le chemin du retour, nous passions devant une ferme abandonnée où un âne brayait quand il voyait approcher les promeneurs.

Dans la voiture qui me conduisait vers le massif du Pilat, s'éloignaient soudain les yeux de maman, les amis, les mains de l'espoir et les jours aux airs tendres. Les mains de maman, même si elle ne m'accompagnait plus au collège. Avec Marie, nous avons échangé seulement quelques mots en traversant des hameaux liés à des souvenirs. Rien de plus. J'avais une boule dans la gorge, elle aussi certainement. Pour me rassurer, elle posait de temps en temps sa main droite sur mon genou, me caressait gentiment les cheveux. Une question me trottait dans la tête.

– Tu le savais depuis longtemps ?

Mais les mots ne sortaient pas. Bien sûr qu'elle savait des choses, elle était plus âgée que moi, avait dû vivre des nuits agitées, entendre des cris et comprendre la gravité des mots, des gestes.

— Tu le savais depuis longtemps ?

Marie m'aurait sans doute répondu, mais la route a défilé plus vite que la phrase. Nous sommes arrivées à Burdignes juste avant le repas du soir. Grand-mère avait mis la table, essayant de retenir Marie, avant qu'elle ne reprenne la route de Lyon.

— Reste un moment, tu ne vas pas repartir le ventre vide.

J'imaginais que pas plus que moi, elle n'avait envie de manger, d'avaler quoi que ce soit pour l'instant. Grand-mère était touchée, mais ne le montrait pas. Maman l'avait certainement avertie, ou tenue au courant de ses intentions depuis longtemps, lui a demandé de prendre soin de moi, le temps qu'il faudrait.

Grand-mère avait promis, bien sûr, tout en essayant de savoir où elle comptait se rendre. Maman ne lui a pas dit. Mais elle préparait certainement cette fuite depuis des semaines, l'imaginait depuis des mois ou des années, j'en suis persuadée.

— Tu t'occuperas bien d'elle, hein ? a-t-elle demandé à sa mère.

Elle s'occupe de moi, vient même me border le soir, m'embrasser dans le cou avant de tirer la porte derrière elle. C'est là que la première nuit, j'ai plongé les yeux dans les albums de photos, pour ne plus m'en extraire. Comme des rêves en couleurs, elles défilent, et nos bouts de vie avec. Elles ne nous ménagent pas, nous tirent parfois des sanglots dans la voix. Ils ont le même écho que ceux que j'entendais, silencieusement tapie en haut de l'escalier de la maison.

15

Je cherche des marques d'affection sur des photos qui ont vieilli trop vite. Je vais aussi, quand c'est possible, dans le cahier de la jeune fille à la perle, cahier des légendes où je retrouve mon renard. Les photos, ce sont mes seuls tête-à-tête possibles avec papa. Bien sûr, il m'arrive de vouloir me souvenir d'un homme qui serait mon père, mais sans cesse quelqu'un d'autre apparaît, un type qui aurait pu, d'un seul coup, tuer maman. Je repensais souvent à ce chanteur, je crois, qui avait battu à mort sa compagne, comme ça, une nuit où le coup qui part est plus fort que les autres. D'un seul geste, faire un grand gâchis de la vie. J'y ai pensé quand j'ai entendu cette histoire, qui m'avait marquée parce que c'est là que j'ai découvert que d'autres hommes que mon père pouvaient être violents. Cette histoire m'a appris que des dizaines de femmes mouraient chaque année, ici, autour de nous, pas seulement à l'autre bout du monde.

Un grand gâchis, voilà ce que papa a fait de notre vie. Pourtant, sur les images, il y a des bouts de bonheur qui s'accrochent, des souvenirs de plage au matin, avec la danse des vagues, des mouettes et des enfants qui crient, des chiens qui bondissent dans l'eau en aboyant. J'ai encore tous ces bruits en tête, ces châteaux de sable que la mer finissait par manger. Je revois Marie, élancée et belle, multipliant les acrobaties, les tours de roue, comme elle disait. Je retrouve maman sous son chapeau de paille, belle dans son maillot de bain à fleurs roses. Je me souviens aussi d'une fois où nous avons toute une journée parlé en italien, en jouant avec des petits voisins de parasol. L'un des enfants passait son temps à répéter le même mot en grattant le sable avec ses deux mains, furieusement.

Le soleil n'entre plus sur ces cartes postales, n'entre plus entre les lignes de mon carnet au foulard bleu et jaune. Je vais chercher des mots au bout des nuits, à la tombée du jour. À Burdignes, rien ne dérange ; à la maison, il fallait trouver le bon moment, l'instant où les angoisses me quittaient. Alors, lentement, ils venaient. J'avais autant besoin d'écrire que de pleurer, mais il était plus simple, plus facile de tenir le stylo, de le laisser aller se promener sur les lignes tracées. Je pouvais le poser quand bon me semblait, où je voulais. Avec les larmes, c'est plus compliqué, ça vous prend comme une lame, ça remonte du fond du corps sans savoir si les hoquets s'arrêteront un jour. Et quand elles partent enfin, on ne sait plus quoi faire, même si on veut quitter cette tristesse, elle vous tient au corps pendant des heures.

C'est peut-être vers l'âge de dix ans que j'ai commencé à écrire de plus en plus souvent. Mais à l'école, cela a fini par se savoir, que j'écrivais. Je trimballais mon carnet partout avec moi, et finalement, un jour, l'institutrice du cours moyen m'a demandé si je pouvais lire quelques poèmes à mes camarades de classe. Elle s'imaginait peut-être des poésies avec des rimes où il serait question de bonheur, de ciel bleu et de fleurs. Je refusais le plus souvent, ou alors, pour la contenter, je lisais un petit texte que j'avais écrit à la hâte la veille, pour donner le change et avoir la paix. Je le récitais en y mettant le ton, en appuyant sur les liaisons, et cela suffisait. Mais rien des visites et des passages furtifs du renard à la tombée du jour. Rien des mots qui hantaient les pages, comme « colère », « violence » ou « barbarie ». Celui-ci, je l'avais découvert au hasard d'une lecture. C'est là que j'ai appris que mon père se conduisait comme un barbare avec maman. J'avais toujours pensé que ces hommes, les barbares, sévissaient dans les siècles passés à coups d'épée et de lance.

Ce barbare de père était le même qui m'invitait à faire la cuisine avec lui, ou à repeindre les murs du couloir de la maison. Là aussi, je regardais sans cesse ses doigts, ses mains tenant un pinceau, une spatule en bois. Je me laissais aller oubliant le chagrin qui s'écoule sur les joues, ou se fiche dans des mots posés au hasard des jours, comme des galets sur le chemin. Ils étaient tous là, les uns après les autres. Cocards, yeux rougis, morve essuyée d'un coup de manche, menaces, solitude. Ils étaient tous là, les premiers, ceux qui ne sont que des balbutiements, ceux à qui on finit par trouver un nom. Barbarie, quand on sursaute au moindre coup frappé à la porte, au moindre éclat de voix dans la nuit.

Heureusement, les photos sont silencieuses, ne sont peuplées que de sourires.

– La première fois, on pardonne.

C'est la voix de maman qui revient encore, une voix douce au sortir d'un nouveau cauchemar. Elle était assise dans le fauteuil devant la télé éteinte. Ce devait être jour de vacances, mais Marie n'était pas là, chez une amie ou à sa leçon d'équitation. Je suis arrivée par-derrière, elle n'a pas fait attention à moi, continuant à fixer le mur, ou l'écran vide. Je l'ai embrassée dans le cou, me suis glissée entre elle et le bras du fauteuil. Sans que je lui demande rien, elle a prononcé cette phrase à voix basse, comme si elle se parlait à elle-même.

– La première fois, on pardonne.

Puis elle m'a regardé longuement en me disant que je n'y étais pour rien. Je n'étais pas certaine à cette époque qu'elle parlait des coups et des injures. Nous sommes restées longuement blotties l'une contre l'autre dans un silence doux et pesant.

Aujourd'hui, je sais ce que voulait dire cette phrase. Pardonner pour espérer de meilleurs lendemains, pardonner pour nous épargner encore, ne pas nous sentir coupables. Et pourtant, c'est bien la première chose qui m'est venue en tête : qu'avais-je fait, qu'avions-nous fait avec Marie, pour que notre mère subisse un tel sort ? J'ai failli m'enfuir de la maison, fuguer, aller sur les routes au hasard. J'avais même préparé un petit sac à dos avec quelques affaires, l'argent de ma tirelire, imaginé une lettre que j'aurais laissée sous mon oreiller. Et puis les soirs de novembre sont passés, l'hiver arrivait, montrait ses dents de jour en jour, repoussait en moi cette idée. Je m'imaginais mal, marchant sous la pluie et bientôt la neige, affronter les bises glaciales et la peur.

J'ai continué à affronter les nuits de veille de chez nous. Les retours de mon père le soir, comme des menaces. J'ai avalé les repas en les regardant tour à tour du coin de l'œil. Incapable de leur causer du chagrin, j'ai laissé s'évanouir mon idée de fugue. Je n'étais pas une héroïne, je voulais bien l'admettre. Un soir pourtant, maman s'est révoltée après une remarque de papa sur la qualité du repas. Elle s'est levée en silence et lui a martelé l'épaule de coups de poing comme un boxeur qui veut abattre son adversaire. Elle lui a décoché une série de coups, puis est retournée s'asseoir, essoufflée. Papa n'a rien dit, a continué à manger comme si de rien n'était. Il a terminé son assiette, semblant trouver du plaisir à ce qu'il avalait. Avec Marie, nous nous sommes regardées furtivement, avant de nous éclipser après le dessert.

La nuit qui a suivi, j'ai tendu l'oreille, incapable de m'endormir, craignant une nouvelle scène, une vengeance tardive. Il n'en fut rien. Cet épisode marqua même une trêve.

Mais mon père n'avait pas apprécié la leçon de boxe. Il se rattrapa à sa manière de lâche, usant de sa force, de la cruauté des mots.

– Je suis pas un pantin, tu te prends pour qui ?

Aucune réponse, bien sûr. D'ailleurs, il n'en attendait pas. Maman ne savait pas se défendre dans ces cas-là, se contentant de protéger son visage du coup fatal qui pouvait partir à tout instant. Il parlait, élevait la voix, se taisait avant de laisser partir la claque, le revers. Les mains du pianiste avaient la vitesse de l'éclair et dévastaient notre monde au fil des jours. La nuit venue, dans mon lit, je guettais alors la visite des étoiles, le cri de la hulotte dans le jardin, et même les glapissements du renard au bout du chemin. Je reprenais mon souffle, laissant le sommeil venir, malgré les grondements qui menaçaient, les orages imprévisibles, cette peur transformée en phrases mystérieuses cachées dans un carnet.

Je fuguais à ma façon, emportant pour un jour ou deux de quoi tenir, de quoi regarder encore maman au fond des yeux, en lui disant que j'étais là.

16

Au bout du compte, c'est maman qui a fugué, monde à l'envers : dans les histoires qui font peur, ce sont les enfants qui disparaissent au cœur des forêts. Elle me manque, c'est peu de le dire, comme ces moments magiques du matin avant le départ pour l'école. Certains matins, elle savait bien que j'avais des yeux pour voir, des oreilles pour entendre les bruits du combat inégal. Elle essayait de ne rien montrer, me proposant parfois de ne pas aller à l'école, de partir avec le vélo et la remorque sur les chemins encore humides. C'était pour rire, souvent, car elle savait que pour rien au monde, je n'aurais manqué la classe. Non pas que quelqu'un m'y attendait, mais peut-être parce que j'avais besoin de ces temps en dehors de la maison pour respirer, m'évader. Il nous arrivait tout de même de faire l'école buissonnière, absence que nous rattrapions le soir en révisant ce que j'avais manqué. Papa, lorsqu'il rentrait tôt, voulait m'apprendre le piano. Je n'ai jamais réussi à m'y intéresser, à en jouer comme il le désirait. Croyant bien faire, il installait deux tabourets côte à côte et essayait de me faire déchiffrer un morceau, une sonatine en *sol* majeur, un prélude.

Mes doigts s'aventuraient sur les touches, se seraient bien laissés aller, mais ma tête ne suivait pas, ça jouait faux dedans. J'oubliais toujours une mesure, une note. Le seul morceau que j'aurais voulu apprendre s'appelait *Premier chagrin* de Robert Schumann. Mais impossible de lui faire plaisir. Cela l'agaçait de me voir si peu attentive, il en éprouvait peut-être même de la colère, mais ne le montrait pas. Il adoptait sa façon de vivre en société, comme lorsque des gens passaient à la maison, ou qu'il croisait quelqu'un au coin d'une rue. Il faisait la même chose à la boulangerie, ou chez le marchand de journaux. Mon père était affable, j'ai appris le sens de ce mot en le voyant faire. Affable et souriant, mais aussi lâche et violent.

À cause de lui, maman est en fugue et, pour m'en sortir, demain j'ai mon dernier rendez-vous chez la psychologue de Saint-Étienne. Je lui parlerai du piano certainement, pour dire que je n'aimais pas. Je raconterai pourquoi j'étouffe, pourquoi la vie traverse un interminable et épais brouillard.

– On reprend ce que tu m'as dit l'autre jour, ou sur autre chose ?

Elle me proposera, qui sait ?, une question de ce genre, une invitation plutôt, car elle ne pose pas vraiment des questions comme tout le monde. Elle amorce simplement des débuts de phrase qui commencent comme ça : « Et c'est important pour toi… », « C'est ce que tu penses… »

Oui, je pense ce que je dis, même si je me cache encore derrière des réponses évasives. Je pourrais lui dire que le grand bonheur de ma vie, c'était de rentrer chez moi le soir à la maison, comme si ma part de vie là-bas sur les bancs de l'école, finalement, ne pesait pas très lourd dans mon existence. L'école, puis le collège, c'étaient des lieux en décalage, où depuis toujours je m'aventurais pendant la journée, avec la crainte de retrouver la maison vide à mon retour.

– C'est pourtant arrivé…

– Qu'est-ce qui est arrivé ? demandera la psychologue.

– Oh, rien, nous en parlerons une autre fois.

– Comme tu veux.

Je ne lui ai pas encore raconté la fugue de maman, elle m'a juste demandé si j'aimais les vacances. J'ai dit oui, comme tous les élèves, avec si peu de conviction qu'elle m'a tendu une perche.

– Tu préfères l'école, finalement.

– Non, j'aime bien la maison, mais en ce moment, elle est vide.

– La maison de Burdignes ?

– Non. Chez moi, la maison est vide.

– Tes parents sont partis en vacances ?

– Non, je crois qu'ils travaillent.

– Ensemble ?

– Peut-être.

– Et c'est quoi, ce métier ?

– Accordeur de piano.

– Tu en joues ?

– Un peu.

– Tu n'aimes pas.

– Non, pas vraiment. C'est papa qui voulait, mais j'ai abandonné en fait.

– Tu n'as pas eu peur de le fâcher ?

– Non, il s'en fiche au fond.

– Tu veux qu'on se revoie à la rentrée ?

– Oui, si je suis encore là.

– C'est vrai, tu vas rentrer chez toi.

– Peut-être. Peut-être pas. Grand-mère veut bien que je reste avec elle.

J'en étais là dans mes pensées, lorsque Jany est venue m'inviter à aller faire un tour à vélo. Sur le chemin qui menait à la croix de Chirol, elle m'a dit que ça n'allait pas fort chez elle, à cause de son père qui n'arrivait plus à vivre en vendant le lait de ses vaches. Le prix de vente était devenu tellement dérisoire que la plupart des éleveurs s'étaient mis à vidanger la totalité de leur traite sur le bord des routes, ou à l'offrir aux gens de passage. Ils appelaient ça la grève du lait. Alors que nous grimpions vers le belvédère, j'imaginais le crève-cœur du père, la honte de ne pouvoir vivre de son travail, et la détresse des lendemains. Nous nous sommes assises devant notre observatoire préféré. De là, on admirait et on nommait les montagnes que nous connaissions presque toutes, du mont Blanc au Vercors.

Venir bavarder sous la croix de la table d'orientation nous donnait l'impression de dominer le monde, de le survoler, et que rien en ce lieu ne pouvait nous arriver. Nous avons fini par faire silence, nos regards tournés vers le ciel. Je croyais même que Jany s'était assoupie, mais au moment où je m'y attendais le moins, elle a posé sa tête contre mon épaule et s'est mise à pleurer. L'effet de surprise passé, je lui ai demandé :

– C'est à cause de ton père ?

Elle n'a pas répondu tout de suite, préférant ouvrir les vannes, avant de lâcher entre deux sanglots :

– Oui, je ne sais pas ce qu'on va devenir si mon père doit tout arrêter.

– Et ta mère ?

– Ma mère ne pourra plus vendre les fromages qu'elle fabrique.

J'ai à mon tour fondu en larmes.

– Tu pleures ?

J'aurais pu dire, comme Jany, « C'est à cause de mon père », mais j'ai simplement répondu : « On va s'en sortir. » Nous avons continué un moment à dominer le monde, avant que des randonneurs, bâtons à la main, ne viennent prendre un peu de repos sur le promontoire. Nous avons offert des sourires de circonstance pour les accueillir, avant de leur laisser la place, et de reprendre la descente vers le village.

J'ai invité Jany à venir prendre un chocolat à la maison. Elle avait peur de déranger grand-mère, s'est trouvé toutes sortes d'excuses ou de raisons pour ne pas rester. J'ai fini par lui prendre la main en l'attirant dans le jardin.

– Vous avez fait une belle promenade ?

– Oui, c'était beau, mais nous avons un peu soif.

– Et faim, non ? J'ai préparé des bugnes au sucre. Tu aimes ça, Jany ?

– Oui, madame.

– Alors dépêchez-vous d'aller vous laver les mains !

En silence, nous avons avalé le contenu de nos bols, trempant sans gêne nos doigts dans le saladier rempli de bugnes, histoire, pour un moment, de redonner à la vie un goût de sucre.

17

J'ai reçu aujourd'hui une lettre de Marie où elle promet de passer nous voir avant la fin du mois. Elle m'écrit que c'est une bonne idée d'aller voir une psychologue, qu'elle me trouve courageuse de vouloir affronter la réalité. Elle m'annonce aussi que papa vit depuis quelques jours à l'abri des regards. Je n'ai pas compris ce que signifiait cette phrase. Au téléphone, tout à l'heure, elle m'a expliqué qu'il logeait à présent dans une maison pour hommes violents, pas une prison, mais un lieu où il est obligé de passer ses nuits. Elle m'a dit que c'était pour qu'il se soigne, pour qu'il évite de recommencer lorsque maman reviendra. Comme si elle avait envie de revenir.

Je me demande encore s'il était différent quand il l'a rencontrée. Les belles photos que je regarde ne font pas de beaux souvenirs, c'est dommage. Comme celle que j'ai sous les yeux, prise dans un parc, avec un kiosque à musique en arrière-plan, des amis coincés dans des vêtements du dimanche. Sur un panneau, il est écrit « Jardin de l'orangeraie ». C'est une photo de mariage. Ils devaient être amoureux, un mot d'ailleurs dont je ne sais pas grand-chose, même si je me suis sentie rougir parfois en croisant un ou deux garçons des classes de grands. Amoureuses, mes copines du collège se donnent l'impression de l'être par mille gloussements et rires hystériques. Moi, peut-être à cause de l'attitude de papa, je me surveille plus, je freine tous les possibles élans.

Après le parc et le kiosque à musique, ils ont dû lancer des confettis à la sortie de la mairie, ou au retour à la maison. Sous son chapeau, maman sourit, en tenant sa main en éventail pour éviter les grains de riz que l'on jette en de telles circonstances. Papa aussi rit. Il a dû se montrer prévenant ce soir-là, et encore un moment avant de hausser le ton pour la première fois, avant de repousser une assiette sous prétexte qu'elle était trop chaude ou pas assez. Il a su se montrer patient avant d'empoigner fermement un bras de maman ou de lui arracher sa première poignée de cheveux.

Je m'interroge pour savoir ce que sont devenus ces amis surpris dans un éclat de rire, ces femmes à la chevelure folle dans leurs robes chamarrées. Loin, dans d'autres pays, d'autres régions, avec des enfants de mon âge, des certitudes et des bonheurs partagés. Ils se sont éparpillés comme les confettis du jour du mariage, absents, indifférents au drame de maman, au fracas de papa.

Mon père est aujourd'hui dans un centre pour hommes violents, c'est Marie qui me l'a dit. C'est comme ça que l'on soigne cette maladie. On enferme les hommes, on les éloigne, on les loge dans des foyers où vivent des SDF, histoire de leur montrer ce que sera leur vie lorsqu'ils auront commis l'irréparable, brisé leur famille. Les contours du puzzle m'apparaissent lentement, et je ne sais s'il faut lui souhaiter du mal et une solitude aussi forte que notre douleur. Celle de maman, surtout. Faut-il lui souhaiter des nuits sans sommeil, habité par le remords, un chagrin profond ? Même la psychologue ne me posera pas ce genre de question, je le sais. Elle pointera le doigt sur les mots que je ne veux pas prononcer, non pas sur ceux qu'elle voudrait entendre. Elle accueille les phrases comme elles viennent, me propose simplement de remettre du souffle ici et là, du sentiment, une pincée de moi. Le dernier rendez-vous est pour demain, vendredi, après elle s'envolera pour la Grèce ou des îles voisines. Derrière son bureau, j'ai vu, l'autre jour, des photos collées au mur où les couleurs de la mer dominaient. Demain, je lui parlerai du manque et de l'injustice, et pourquoi pas de Jany, des malheurs de son père. Oui, ça doit être plus facile de parler du malheur de son père que de celui qui le provoque.

Par la fenêtre, le soleil entre à nouveau après une matinée de brume. Je reçois ses rayons comme un cadeau, ils dépoussièrent et réchauffent les albums endormis. Sur une photo, je dois avoir dix ans, se tient près de moi Camille. Nous étions ensemble la dernière année de l'école primaire. C'est la seule qui partageait avec moi un peu de rêve et d'évasion. Elle était atteinte d'une maladie rare, ses cheveux ressemblaient à des feuilles d'or, sa voix était d'une finesse infinie. Elle vivait là, parmi les tribus hurleuses des récréations, me prenait la main pour traverser la cour. J'ai gardé d'elle le souvenir de cette douceur, cette fragilité qui se lisait jusque dans ses yeux. Je ne l'ai pas retrouvée au collège l'année suivante. Peut-être avait-elle besoin de soleil et de ciel bleu, ou alors la maladie... Mais ça, je ne voulais pas le croire. Oui, je parlerai d'elle au rendez-vous de vendredi. Même si je ne lui ai jamais ouvert mes cahiers, elle était presque devenue une confidente. C'est elle qui racontait le plus souvent. Sa vie d'avant du côté de Nantes, vers les marais de la Brière, ses longs séjours à l'hôpital pour une opération, un examen, un peu d'espoir et de douleur en même temps qui lui donnaient des mois de vie supplémentaires, des cadeaux comptés sur les doigts de la main.

Je parlerai d'elle pour dire que je ne l'ai pas oubliée. Marie m'a dit tout à l'heure que ça allait mieux, que l'enfer était derrière nous à présent. Faut-il le croire ? C'est mon père le magicien des nuits d'enfer, même s'il faisait mine parfois de se retenir.

Quand pour se racheter d'une bordée de coups, il lui offrait des bouquets qui finissaient à la poubelle, il ne disait rien. Il enrageait de ne jamais les voir trôner sur la table, sur un meuble. Il enrageait mais se retenait, faisait le fier-à-bras.

— Ces fleurs sont trop fragiles, je n'en achèterai plus.

Ou alors, il interrogeait, de façon plus cynique :

— Tu les mets dans l'eau chaude ou quoi ?

On sentait qu'il allait exploser, mais il ne le faisait pas, ses enfants le gênaient, il préférait attendre la nuit pour saccager le beau jardin, piétiner notre tranquillité. Je tendais l'oreille pendant que la pluie tambourinait contre les volets ou que le vent s'engouffrait sous les tuiles du toit. J'entendais ces soirs-là la hulotte et son cri, d'arbre en arbre. Je tendais l'oreille pour que le renard vienne à mon secours. Il finissait par arriver, et son regard m'apportait un peu de calme, et si Marie affirme que l'enfer c'était hier, je veux bien, grâce à lui, la croire au moins cette nuit encore, pour supporter ces fantômes de papier glacé. Le temps n'est plus à la couleur, à la douleur peut-être, même si le chant du vent va me bercer un moment. Je veux la croire, mais je peux dire quand même que papa a frappé maman pour lui faire mal, pour éteindre la lumière en elle. Le rideau est tombé le soir du premier coup. On ne frappe pas pour parler, ou susurrer des choses sur le printemps, le ciel et le silence. Il savait que chaque coup la ferait se replier en elle, se recroqueviller. Les belles fleurs qu'il espérait voir trôner sur la table, c'était pour se dédouaner, faire semblant de rester digne. Maman n'a pas voulu lui faire ce plaisir, s'abaisser à une telle injure, une telle mascarade. Elle a continué la plupart des matins à se maquiller, à me prendre la main sur le chemin de l'école. À se maquiller la vie aussi, pour la revisiter plus belle, lorsqu'elle se retrouvait seule avec les notes du piano dans la tête, les accords qui lui sifflaient aux oreilles, cette musique insupportable à la longue.

18

Au fil du temps, maman s'est mise à manger beaucoup, je ne la reconnaissais plus. Peut-être parce qu'il la traitait de grosse vache, et qu'elle voulait, malgré elle, lui donner raison. C'est une période où les photos se font rares, albums aux pages vides, comme si la boulimie avait commencé à effacer les dernières traces de bonheur. Après le premier coup, elle a pensé que ça ne recommencerait plus, que ça ne pouvait plus se reproduire parce qu'il l'aimait. C'était certain, il ne pouvait que l'aimer. Elle aussi. Après la colère, il était gentil le reste du temps, comme il l'avait été au premier jour et d'autres fois encore, lorsqu'il venait la chercher devant la porte de la pharmacie où elle travaillait à l'époque. Il l'attendait, sagement assis sur un des bancs du square situé juste en face de l'officine. Il lui arrivait de venir l'accueillir avec une guitare dans un étui, et d'accompagner l'arrivée de maman par quelques accords de bienvenue. Lui, avait trouvé du travail au sortir de l'école d'accordeur, dans un magasin d'instruments de musique. Elle riait encore de ses facéties, de sa façon princière de s'agenouiller pour la saluer. Jusqu'aux premiers accrocs, premières grimaces, éraflures à peine visibles, début du désenchantement. Puis sont venues les mains bandées, les pas mal assurés. Mais personne ne l'interrogeait, personne ne disait rien, j'en suis certaine, tout soupçon était balayé par trois accords de guitare, une assurance et un aplomb à toute épreuve. Qui pouvait deviner ce que pouvait être la souffrance ressentie ?

Maman mangeait plus qu'il ne fallait, entre les repas, très peu à table. Elle mangeait pour ne pas parler, pour affronter le grand vide de l'oubli. C'était devenu cette attitude-là, même si nous en étions des témoins silencieux, peu attentifs aussi. Elle mangeait, et on n'entendait presque plus résonner son rire dans le couloir, les chambres ou la cuisine. Lorsqu'il revenait, c'était lors de nos promenades à vélo dans la campagne, mais elle avait moins d'entrain, moins de force pour gravir la pente des chemins, moins de souffle pour accompagner celui du vent dans les haies. Ces moments restaient notre dernier refuge, nous pouvions revenir les joues rouges ou les mains gelées, cela n'avait aucune importance. Assises sur les troncs de hêtres fraîchement coupés par les bûcherons, nous regardions au loin, comme si un train allait venir vers la forêt. Nous n'attendions rien, simplement que le temps s'arrête là, avec nos respirations bruyantes après l'effort, nos yeux mouillés par le froid. Rien ne venait troubler le chant des feuilles dans les arbres, le chant des oiseaux en partance pour l'hiver. La vie se posait là, un instant, avec tout ce qu'elle savait nous donner de bon. Parfois maman commençait une phrase, puis s'interrompait au milieu.

— Je veux savoir la suite. Pourquoi tu t'arrêtes ?

— Pour rien, ce n'était pas important.

Puis nous reprenions le chemin du retour. Je cherche aujourd'hui dans ces bribes de phrases ce qu'elle voulait dire, ce qu'elle n'osait pas. Elle savait, les derniers temps, que tout allait voler en éclats. Que, d'une façon ou d'une autre, le frêle équilibre risquait de se rompre un beau matin, ou une sale nuit. Pour rêver encore, je cherche un dicton qui pourrait lui aller. Si ceux qui sont nés le mardi comme moi, sont drôles, quel jour de la semaine lui permettrait-il d'être heureuse ?

Celui qui naît le vendredi sera chanceux, celui qui naît le dimanche aura les yeux bleus. Il n'y a qu'à piocher, qu'à inventer. Mais cela suffira-t-il ? Peut-être que chez la psychologue d'autres idées me viendront.

— Tu as d'autres dictons à me proposer ?

— Oui, mais aujourd'hui, je préférerais parler du renard.

— Celui du carnet…

— Oui.

— Et alors ?

— Il lui arrive plein de trucs.

— Des trucs de quel genre ?

— Il est poursuivi par un lynx, une meute de loups…

— Souvent ?

— Presque tout le temps. Il marche dans la neige, à la recherche de nourriture, mais les autres le guettent.

— Et ça te réveille, la nuit ?

— Il y a des bruits qui me réveillent, oui.

— C'est ton carnet qui le dit ?

— C'est ce que j'écris. Mais pas tout. C'est surtout la vie du renard qui m'intéresse.

— La tienne aussi…

— Oui, quand j'avais dix ans.

— Plus maintenant ?

— Le renard est devenu mon confident, mon ami.

Elle m'a regardée longuement dans un silence infini. J'ai eu peur qu'elle me demande de dessiner le renard. J'aurais voulu trouver d'autres mots pour prolonger la conversation. En fait, j'étais tétanisée à l'idée que c'était la dernière rencontre, la dernière possibilité d'échange.

– Alors on se dit au revoir ?

– Oui, je dois vous dire aussi que je vais revoir maman.

– Tu es contente alors…

– Oui.

J'ai répondu par ce mot unique, et puis j'ai rejoint grand-mère dans la salle d'attente, laissant derrière moi le renard, les phrases retenues, les tourments, maman, chez qui une visite était prévue, organisée discrètement par Marie. Je n'osais pas y croire, refoulant ce cadeau depuis que j'avais appris son existence.

Grand-mère m'a invitée à manger une glace ou un sorbet, j'ai dit oui, encore à mon mal de mer, au roulis dans ma tête. J'ai dit oui, comme si elle m'avait invitée à la suivre au bout d'une jetée, au bout d'un chemin dans la forêt. Juste pour marcher un moment et reprendre pied. Même le sorbet aux couleurs vives n'avait pas d'attrait, c'était encore devant moi, maman qui se gavait à sa manière. Elle faisait des provisions, empilait les stocks, pour les vider dans la journée, mélangeant le sucré au salé, le froid au chaud. Ses vêtements devenaient de plus en plus amples, de plus en plus sombres. Papa ne ratait jamais une occasion de faire une remarque sur ses rondeurs devenues bien visibles. Elle ne répondait pas, posait sa fourchette sur le bord de l'assiette et s'arrêtait de manger.

– Tu es sortie aujourd'hui ?

– Oui, pourquoi ?

– C'est à toi cette robe, ce maquillage ?

– C'est ma robe…

– Tu mets ça pour faire les courses ?

– Oui, qu'est-ce qu'elle a ?

Ou alors, plus sournois, tournant autour du pot, tel un chat avec sa souris d'avance condamnée :

– On ne mange que du congelé ici !

– Non, pourquoi ?

– C'est toujours trop froid.

– C'est vraiment tiède, tu crois ?

Puis la souris se taisait, le chat sortait ses griffes.

– Et celle-là, elle est tiède !

Un grand silence, de l'hébétude après la première claque. La violence pour une casserole pas assez chaude à son goût, un caprice.

Je crois que, ce soir-là, le renard s'est terré pour longtemps avec ses inquiétudes, n'est revenu qu'avec le temps, à la fonte des dernières neiges. Je me suis terrée aussi, c'est une chose qui rassure.

19

– Ce qui fait mal, ce sont les mots, pas les coups.

Maman est face à moi, je la regarde, j'entends sa respiration, je touche ses mains.

– Tu sais, il y a dans ce centre, beaucoup de femmes aux yeux rougis, aux bras couverts de bleus. Elles racontent la même histoire. L'une m'a dit : « Un jour, il est rentré dans ma tête. Plus il me cognait, plus j'allais vers lui. » Une autre m'a confié : « Un jour, je me suis rendu compte qu'il ne finissait jamais ses phrases. C'est moi qui les terminais à sa place. »

Je l'embrasse et je la regarde encore, l'écoutant m'annoncer des choses qu'elle me cachait depuis des années, pendant que Marie et grand-mère sont allées faire un tour dans le parc, pour nous laisser seules toutes les deux. Maman parle, et je ne sais plus quoi dire. N'osant pas lui poser la question de son retour, de notre maison avec, enfin, les fenêtres ouvertes sur la campagne, des nuits plus douces.

– Ici, on me répète que je ne dois pas garder tout ça pour moi. Je suis entourée de femmes qui, comme moi, ont longtemps rasé les murs, baissé les yeux devant un homme.

Elle ponctue chaque phrase par ce beau sourire que j'avais fini par oublier. Je lui souris aussi, c'est ma façon à moi de la ramener à nous, de la ramener au monde avec nos mots et nos gestes simples.

— Tu sais où est ton père à présent ?

— Oui, un peu, Marie m'a expliqué.

— Je crois qu'on ne pourra plus…

— Qu'on ne pourra plus… ?

— Plus se revoir, plus vivre ensemble. Tu dois le savoir. Plus jamais. Une fois, je suis allée à la police pour déposer plainte. On m'a dit que ce n'était pas la peine et que ça allait s'arranger. Certaines femmes se font tuer à cause de cette négligence.

— Et tu vas faire comment ?

— « Comment », c'est le mot. Avant je disais « pourquoi ». Aujourd'hui, je me dis « comment m'en sortir ». Il faut que je reste ici encore un ou deux mois, un moment pour me remettre. Mais il y a le collège…

— Grand-mère m'a proposé de rester avec elle.

— C'est vrai ?

— Oui, c'est vrai.

— Et qu'est-ce que tu en dis ?

— Je dis oui.

— Tu es sûre ?

— Est-ce qu'on peut faire autrement ? Je préfère que tu ailles bien.

— Et toi, ça va ? On t'a beaucoup secouée, ma petite.

— Oui, ça va. Je vais aussi chez une dame, pour parler.

— Une dame ?

— Oui, enfin, une psychologue, comme toi.

— C'est toi qui as demandé ?

— Oui. Grand-mère est gentille, mais il y a des choses que je ne peux pas lui dire.

Maman m'attire contre sa poitrine, et me serre en m'embrassant les cheveux. Elle répète « ma petite, ma petite » comme une berceuse, une complainte.

– Marie m'a dit que papa vivait avec des SDF dans un foyer.

– Je crois. C'est un centre avec un règlement très strict. Mais il n'y restera pas longtemps. Tu sais, ton père s'en sortira. Il faut penser à toi.

– Tu viendras bientôt à Burdignes ?

– Il faut que je reprenne des forces, mais bien sûr.

– Tu m'emmèneras au sentier des Moulins ?

– C'est grand-mère qui t'a parlé de ça ?

– Oui, elle m'a dit que c'est là que tu avais appris à marcher.

– Alors oui, nous irons apprendre à marcher ensemble.

– Et tu sais pourquoi, au moins ?

– Si je sais quoi ?

– Pourquoi il te frappait ? Pour te punir ?

– Il me frappait par amour.

– Par amour ?

– C'est ce qu'il disait, qu'il me frappait par amour et qu'il souffrait, parce qu'il avait mal de me frapper.

Dans le parc ensoleillé, des oiseaux se chamaillent dans les arbres, c'est le seul bruit qui domine nos respirations. Je ne veux plus questionner, ne plus entendre ces choses que j'avais imaginées seule devant les photos, ou recluse dans ma chambre. Je ne voulais plus de cris dans ma tête, juste envie qu'elle me serre fort contre elle, rester à l'abri de ses bras. Aujourd'hui, je sais qu'ici, dans le centre, elle ne risque plus rien. Plus de coups, en tout cas ; pour le reste, il faut attendre. Mon père la laissera tranquille, à présent qu'un juge le surveille.

– Tu reviendras la semaine prochaine si tu veux, ta grand-mère te conduira.

– Ce n'est pas trop loin pour elle, cette route à faire ?

– Vous resterez ici le soir. Il y a un hôtel dans le village.

– On pourra se revoir le lendemain ?

– Oui, bien sûr.

Un petit coup sec sur la porte nous annonce l'entrée de Marie.

– Mamie est dans le parc, elle demande si vous pouvez descendre.

– Oui, un peu d'air nous fera du bien. Hein, Élodie ?

– Oui, tu as raison.

Nous sommes sorties marcher un peu sous l'ombre des allées, un peu dans le silence de ces retrouvailles collectives. Chacune chemine. Moi dans ma tête. Aujourd'hui j'ai quinze ans, et même plus, depuis que j'ai rangé les albums photos sur leurs étagères. Nos souvenirs gris vont s'endormir un instant, et je vais mettre des ailes sous d'autres mots. Les lâcher dans le vent à la croix de Chirol. Comme dit maman, « le bonheur, ça se partage ». Je voudrais que les souvenirs dorment longtemps et ne viennent plus la nuit me prendre par la main. Peut-être que mes doigts aussi vont avoir envie de se promener à nouveau sur les touches du piano. Une note blanche, une note noire. À la manière de grand-mère quand elle tricote le soir en chantonnant. « Une maille à l'envers, une maille à l'endroit. » Juste de quoi recouvrir le son de la voix de la petite fille qui disait :

– Tu lui as fait quelque chose, à papa ?

Ouvrage réalisé par
Cédric Cailhol Infographiste.

Reproduit et achevé d'imprimer
par l'Imprimerie France-Quercy à Mercuès
en septembre 2010.

Dépôt légal : **octobre 2010**
N° d'impression : **01303**
ISBN : **978-2-8126-0158-3**

Imprimé en France